同学，咱们聊一聊父母

〔美〕伊丽莎白·A.瑞恩 著

高妙永 译

Straight Talk about Parents
Elizabeth A. Ryan

商务印书馆
2007年·北京

图书在版编目(CIP)数据

同学,咱们聊一聊父母/(美)瑞恩著;高妙永译. 北京:商务印书馆,2004

(同学,咱们聊一聊)

ISBN 7-100-04221-6

I.同… II.①瑞… ②高… III.家庭教育-通俗读物 IV.G78-49

中国版本图书馆CIP数据核字(2004)第079522号

所有权利保留。
未经许可,不得以任何方式使用。

Straight Talk about Parents by Elizabeth A. Ryan ©2004
Published under license from Facts On File, Inc., New York
此书经北京版权代理有限责任公司代理,由Facts On File授权。

TÓNGXUÉ, ZÁNMEN LIÁO YĪ LIÁO FÙMǓ
同学,咱们聊一聊父母

〔美〕伊丽莎白·A.瑞恩 著

高妙永 译

商 务 印 书 馆 出 版
(北京王府井大街36号 邮政编码 100710)
商 务 印 书 馆 发 行
北京瑞古冠中印刷厂印刷
ISBN 7-100-04221-6/G·662

2004年11月第1版　　开本787×1092　1/32
2007年1月北京第2次印刷　印张 5⅛

定价:8.00元

序

林崇德

读了写给中学生朋友的"同学,咱们聊一聊"丛书,联想颇多。

早在1983年,我在北京出版社出版过《中学生心理学》。我之所以写这本书,固然因为我是一名心理学工作者,然而,更重要的是,我当过13年的中学教师(自1965至1978年)。我热爱中学生,也熟悉中学生。处于青春发育期或青少年期的中学生阶段,是人生的黄金阶段之一。青春是美好的,青春期也是人生最宝贵而又丰富多彩的年华。青少年最突出的表现是朝气蓬勃、风华正茂、富有理想、热情奔放,他们释放着聪明才智,身心都在迅速成长。青少年期是一个过渡时期,其首要特点是过渡性,即从幼稚(童年期)向成熟(成人期)过渡,是一个半幼稚、半成熟的时期,是独立性与依赖性错综复杂、充满矛盾的时期。

青少年希望受到人们的重视,把他们看成"大人",当成社会正式的一员。他们思想比较单纯,很少有保守思想,敢想、敢说、敢为。但是,在他们的心目中,什么是正确的幸福观、友谊观、英雄观、自由观和价值观,还都是谜。他们的自尊心和自信心在增强,对于别人的评价十分敏感,好斗好胜。然而,他们的思想也具有片面性,容易偏激,容易摇摆。他们的道德感、理智感和美感等高级情感在逐渐成熟。他们很热情,也重感情,但有极大的被动性,情绪情感的两极性明显,激情常常占有相当的地位。他们的意志特征在发展,在克服困难中毅力往往还不够。他们往往把坚定与执拗、勇敢与冒险混为一谈。他们精力充沛,能力也在提高和显露,但性格未最后定型,有时难以找到正确的活动途径。总之,青少年处于人生的十字路口阶段,难怪国际心理学界赋予他们种种"桂冠":"心理断乳期"、"疾风暴雨期"、"反抗期"、"危机期"。所有这一切,亟需教育与培养,亟需学校、家庭和社会三方面的配合,从而使青少年度过人生有意义而动荡的阶段。

商务印书馆十分重视处于青春发育期或青少年期的中学生的教育和培养工作,引进了美国出版的《同学,咱们聊一聊》的中学生读本。我仔细阅读了10册内容,觉得有四点值得充分肯定:

第一,讲究科学性,即上能根据教育目的和教育任务内容,下能针对学生特点,以便达到应有的效果。这套丛书作者的目的,不是就某个问题给青少年一个简单的答案或道德方面的评价,而是根据中学生读者的特点,通过社会科学和自然科学知识,帮助青少年澄清一些问题,提供一些不同的选择,并引导他们思考,然后作出某种抉择。

第二,强调可读性,即从社会学、生理学、心理学等学术的角度出发,以个案研究的结果,用种种不同的故事,通俗易懂地阐述问题,给出每个问题的当代同龄人的生活背景和生活知识,贴近读者,突出了可读性。

第三,强调实效性,即讲究效果。这里的 10 册书的内容包括中学生每天要接触的社会、学习、生活现实问题:钱、抽烟、家庭、家长、欺侮、死亡、中学生活、学习障碍、青少年赌博、心理障碍,通过实实在在的晓之以理,无形的德育尽力落到学生的观点和行为实处上,以便取得实用的效果。

第四,注意严谨性。这些"同学,咱们聊一聊",毕竟译自美国的作品,中美的文化背景有差异,教育内容有区别,生活方式也不同,所以,商务印书馆编辑倪乐严格把关,取其精华,让中学生更健康地欣赏外国的作品。

我恳切地希望广大中学读者喜欢这套丛书,用自己的审阅能力,消化各种内容,并热忱地为作者、译者和出版者指出不足。

是为序。

中学生：我像一棵树

在中学生活中，我们有比以前任何时候都难的功课，有比以前任何时候都多的问题。正因为这样，我们比以前任何时候都更需要关注和帮助。

有空闲的时候，可能我们会静下来想一想，应该怎样学习，应该怎样面对生活，应该怎样克服各种困难、应对各种麻烦。有那么多的事情摆在我们面前，等着我们处理，我们目前要解决的是每天的功课、作业和各种考试，过些时候我们还要考虑中考、高考和就业。

我们都想有快乐的生活和顺利的学业，都愿意和老师、家长保持良好的关系，和同学、朋友和睦相处。因为，无论是突然之间还是循序渐进，我们都意识到，不能总依靠家长，我们要有自己相对独立的生活，包括约会、参加社会活动和解决学习上、心理上的问题。但是我们离不开家庭的养育，离不开老师教导，况且我们身上总有这样那样的问题，总会惹出各种麻烦事,需要家长和老师帮助才能解决。

如果有什么人想用一句话概括中学生的形象,或许可以这样回答吧——中学生像一棵树。的确,中学生正处在身体、知识和生活经验的成长积累阶段。在这个重要的过程里,自然会发生很多意料之中和之外的事情,就像一棵树会长出枝杈,这些枝杈有的以后会变粗,有的可能必须被砍掉或被整形。这些枝杈的好坏直接关系到这棵树是否茁壮,是否可以成材。而这些事情中有一些是中学生必须面对的,如培养学习能力,认识和家长的关系,结交新的朋友,建立消费观念,适应身体的发育,面对社会现象和处理各种社会关系……这些在中学阶段生出的枝枝杈杈,就成了忙忙碌碌中学生活的组成部分。

可是中学生们是否想到过,解决这些问题最主要的依靠是什么?

我们通过出版这套"同学,咱们聊一聊"丛书,把我们对中学生的想法告诉大家。每本书名都直接给读者点明一个问题,也就像在一棵树的图画上放大局部的一个枝杈。其实,书里讲的无非集合了成年人的经验和比较科学的道理。同时,每本书里都穿插了一个或几个美国中学生的故事。这些故事无非是告诉读者,他们对这些问题的态度、分析和解决办法。因为我们知道,解决这些问题离不开自己不断提高的能力和知识,离不开和朋友、家长及老师等人的沟通和他们的帮助,而所有的这些无不体现着对自己、对别人的尊重和爱护。这就是我们人类特有的情感和理念,它叫"人文关怀"。在人文关怀的文化中,每个中学生是都能够成材的。

我们还要告诉大家的是,这套丛书的翻译工作得到了福建师范大学外国语学院的大力协助。

商务印书馆编辑部
2004 年 12 月

目　录

1　不同的家庭　不同的时代　*1*
2　尴尬与羞愧　*18*
3　独立与隐私　*39*
4　日常生活　*59*
5　与父母交流　*76*
6　假如你……　*93*
7　遇到麻烦时　*113*
8　问题无法在家里解决时　*132*

1

不同的家庭 不同的时代

"再也没有谁家像我家那么糟糕的了!"

你也经常有这样的感觉吗?对家庭,尤其是对自己的父母感到失望,是青少年时期常有的心理状态。对大多数人来说 12 到 20 岁是一段充满矛盾和困惑的年龄。在这段时期,你老是盘算着如何脱离家庭,如何来提升自己的威信,创建自己的生活方式,发展自己的个性。然而对你们来说,在这种年龄想要真正脱离家庭是很困难的。除了没有足够的金钱来支持自己以外,你对父母还有情感方面的依赖,即使在你希望父母能给你自由的时候也是如此!

小时候,你会不假思索就承认、接受了自己的家庭。即使你知道自己家里有好多问题——父母离异、酗酒或失业——你的年龄限制你只能在心中祈祷情况能有所改变。在觉察到可能存在的家庭问题的同时,你也会因为知道父母能处理一切而觉得安心。

随着年龄的增长,你会感觉到自己越来越叛逆。你有了更多的生活经历,所以拥有了更好的立足点来把自己家和别人家作比较。你会视自己为成人,想过独立的生活,所以对家庭有了更好的评判能力,觉得依靠自己就能改变局面。即使你热爱自己的家庭,你也可能希望做出与父母或兄弟姐妹不同的决定。甚至当你的判断或态度与家人一致时,你偶尔也可能会感到气馁,感到自己被忽视,甚至感到愤怒。有时你会认为自己家真是世界上最糟糕的家庭。

形成对家人尤其对父母的态度是一个持续不断的过程。许多已为人父为人母的成年人听到"以前妈妈经常对我说的话"仍会觉得恼火,或害怕做"爸爸绝不会允许"的事情。因为你爱你的父母,同时又希望他们能和别人的父母有所不同,所以对待他们的态度是热爱、满足中掺杂着复杂而痛苦的心情。

幸运的是你可以有许多方法来改进和父母间的关系,以及你自己对家庭的感觉。

多了解有关一般家庭的信息及运作方式。这将有助于你判断自己与家庭冲突的严重程度,也会让你知道,不只是你才有那样的困扰。你觉得自己家有什么问题,很有可能别人家也有一样的问题。实际上,你会发现大多数家庭都和你家类似。或者,不管是不是类似,许多人都觉得自己的家庭在某些方面是与众不同的,甚至是"错误"的。获得这样的认知也许会有助于你把"与众不同"和"错误"两个概念区分开,使你在意识到真正存在的问题的同时,又能欣赏自己家的独特之处。

学习更多的与家人交流的方法。虽然交流是相互的,但是依靠一方的努力也可以改变双方的交谈和倾听方式。作为青少年,你总有一天会长大。到那时,你父母还能从你身上学到东西呢。那多有意思啊!对于这一点,即使你父母没有意识到,他们也会对你采用的新的交流方式,有不同的甚至更好的反应(详见第5章)。

深入了解自己的矛盾心态。无论外在情况有多糟,你总是能够调整自己的反应。作为青少年,你必须忍受许多非你所愿的对于你生活的控制。在你还不成熟,不能养活自己并建立家庭之前,你必须接受来自父母一定程度的控制和监督。于是你能做的就只是让自己在家里生活得愉快一些,有时只能是不怎么愉快。无论怎样,你可以学着对你所能掌握的事情负责。父母也许能控制你的一些行为,比如,严禁夜晚外出,但是他们无法掌控你对此的反应。你是否会遵守他们的规定？还是生气摔门？或者，试图通过与他们商量来解决问题？或者寻找苦中作乐的方式？如果更加了解自己的情感和行为，你至少可以选择如何面对，而不是被父母逼着去应付。

向家庭外寻求帮助。即使你对目前家庭及其每个成员都很满意，你也许还是想有另外一个可与之商量的成年朋友：年长的亲戚、老师、咨询专家，以及热线电话或心理健康咨询服务中心，等等。这些途径可以帮助你正确认识你的家人。遇到不便告诉家人的事情，你可以向这位"局外人"倾诉。如果你对家里的某个问题格外关注，尤其是这个问题可能会危及家庭稳定时，你一定得向家庭以外的人寻求帮助。然而，如果这个人对你的生活、安全或健康不利，你有权断绝和他往来。要找到这种能帮助你的人也许很难，但千万别放弃。更多有关家庭问题的信息，可以参见第8章"问题无法在家里解决时"。

这本书可为你提供一些观察家庭的视角：家庭如何运转，别人家是怎么样的，家庭可带来的问题和欢乐。此外还提供与父母交谈的具体建议，以及一些倾诉与倾听的方式，有助于商量及解决问题。这一章会介绍更多不同的家庭类型和近年来美国家庭的变化情形。了解不同的美国的家庭类型，可能有助于你认识自家情况。

过去和现在的家庭

你的"家庭应该是什么样子的"想法是从哪里来的?电视上?课本上?还是从自己和周围的家庭里?从小到大,你觉得大部分家庭都和你家一样吗?还是认为你家和你想像的"正常"或"标准"家庭有很大差距?

长期以来,在美国只有一种家庭形象。人们在电视或刊物上看到的"理想"家庭都有父亲、母亲和至少两个孩子。在这种家庭模式里,父亲出去工作,母亲在家料理家务,孩子们都很听话。"父亲什么都知道。"曾有过一部美国电视连续剧居然拿这话作名字。

而事实上,即使在那个年代里,许多家庭也并不符合这种"正常"模式。自从家庭产生以来,家庭本身就在不断变化。伴随着家庭观念的变化,人们对青少年的观念也发生改变。100年前甚至50年前人们对青少年权利、责任及能力的看法与现在的大不相同。

曾经有很长一段时间根本没有"青少年"这个概念。当然,这并不意味着那时的人们没有经历12到20岁这个年龄段,而是这个年龄段的人没有被单独区分开。那时有"孩子"的概念:他们需要父母照顾,还太小,不能工作;也有"成年人"的概念:他们可以结婚,工作,以及承担其他成年人的法定责任。年轻的成年人可能仍在父母的庇护下生活,他们可以结婚,但那也许是父母安排的婚姻。他们可能仍在父母的家里生活及抚养自己的孩子,并且和他们一起在家族土地上劳作或经营家族事业。具有讽刺意味的是,那时的年轻人,在某种意义上似乎比现在的青少年承担更多的责任,但同时他们可能拥有比现在少得多的选择。

按照那个相对单纯的年代的传统习俗,今天,许多人仍须领受一些从犹太教承袭来的,为十三四岁的少年举行的宗教仪式,如坚信礼和受诫礼。这些仪式标志着成年时期开始了,其他民族也有类似的成人接纳仪式,作为区分未独立的孩子与独立的成人之间的明显界限。今天仍有许多人参加这些宗教仪式,虽然在几百年前,这个年龄已可以成家立业,过成人生活,但在当今社会,十三四岁还远远不能算是成人。

"青少年"这个词在大约一百年前是并不存在的。不同的经济文化群体对可以结婚独立的年龄有不同的规定。比起那些出身富裕家庭、可以多依赖父母几年的年轻人,贫困家庭的孩子成长更快,更早结婚,更早工作,因此他们独立的年龄也较早。但各阶层的美国人普遍认为父母的权威会持续到孩子结婚,有时还更久一些。当时,父母对女儿的权威比对儿子的更大,尤其在富裕家庭,未婚女儿可能永远都不能被允许独立。许多来自贫民及工人阶级家庭的孩子不能读完高中,甚至不能完成初中学业,只有大富人家才能送孩子上大学。

那时,社会对儿童的责任很少。与父母一起生活的孩子被视为父母的责任对象,甚至是父母的财产。如果父母想让孩子退学或当童工,那是父母的权利。失去父母、亲戚的孩子就只能自生自灭。你可能听过霍雷肖·阿尔杰的故事,主人公们是不满13岁的男孩,他们住在大街上,以替别人擦皮鞋或跑腿赚几个钱,直到慢慢发家致富。故事里发家致富的部分也许只是个神话,但是,19世纪中期,美国城市有许多自生自灭的孩子却是个不争的事实。在查尔斯·狄更斯的小说中,你可以看到在英国城市也有同样的现象存在。

由于许多原因,20世纪早期人们对孩子的态度开始转变。社会改革家们,如简·亚当斯,认为社会有责任保护孩子在家庭内外的权益,并为此而奋斗。由于工作种类的改变,人们对受教育的要求更迫切。随着越来越多人移民到美国,学校被视为把外国儿童"美国化"的途径。各种原因使得许多法律条文得以通过,它们给儿童更多的保护,但在某种意义上,也限制了孩子及其家人的"自由"。《儿童劳动法》禁止规定年龄段以下的儿童参加工作。《旷学法》要求规定年龄段的孩子都必须上学。国家还设立另外一些法律或通过其他方式来保护未成年人的健康与安全。逐渐地,法律系统开始严格区分未成年人与成年人了。

20世纪初,欧美有人提出"青春期"这个概念,认为从12至20岁有许多特殊之处。科学家和心理学家试图论证儿童在成长到10岁进入发育期后生理和心理都会发生变化。当然,如果儿童一旦进入发育期就算成人,也就不会有"青少年"这一说法。然而这些思想家提出质疑:如果孩子在生理上已成熟到可以结婚的程度,但心理上仍未准备好;或生理上已能参加工作,但仍需在学校接受教育,那会产生何种后果?因此从儿童到成年之间的过渡阶段,既是生理的——荷尔蒙的分泌量及生理特征改变,也是心理的——充满了探索和沮丧。青少年不再是儿童,但又未成人:他们有一些成人的责任和生理能力,但还没有被允许结婚、工作或进行其他活动,——没有被允许进入成年人的世界。

这些对青少年阶段的描述你是否感到很熟悉呢?如果你12岁退学,13岁开始工作,14岁结婚,你肯定会遇到一大堆其他问题,但不大会有现在正困扰着你的"青少年"问题!如果有时你觉得"进退两难",那是因为你正处于这个过渡阶段。从童年时代到你正式工作的第一天,再到你建立自己的家庭,这段时间里包括的是高中、大学、假期训练、旅行、实习、兼职、家庭任务,以及其他各种各样的关系和友谊。当然,你不一定非得结婚成家。实际上,由于许多原因,当今社会较之以前为人们提供了除结婚外的更多选择。但是无论在离家独立前做些什么,你可能都会有相同的感受:自己不再是孩子了,但也还不是成年人。

青少年的权利及义务

如果你正为不知如何适应社会而苦恼,记住,并不是只有你才有这种感觉。"社会"本身就很复杂,至少存在许多矛盾。在做某些决定上,你满18岁就算是成年人了,但另一些情况下,你必须满21岁,有时满十五六岁就算是了,这取决于你居住的国家在这方面的规定。举例来说,你知道在你居住的国家或地区要达到哪个年龄才有权做以下事情吗?

- 投票选举。
- 开车。
- 参军。
- 签署具法律效力的协议。
- 结婚。
- 喝酒。
- 兼职工作。
- 专职工作。

是不是能够做和怎样做上面所列事项是长大成人过程中的事,而所有做这些事的权利可不是你到了某个年龄的生日那天一下子就有了的。

同理,作为未成年人,社会也为你提供某些方面的保护。你是否知道你在哪个年龄之前:

- 你的父母在法律上有义务抚养你或为你提供抚养费?
- 如果你父母或家庭无力抚养你,政府必须提供什么程度的生活及教育费用?
- 如果你有了违法行为,什么法律和法规对你适用?

世界上的一些国家在为青少年提供保护的同时,也对青少年设立了许多限制。有些措施有年龄限制。也有许多对成年人而言是合法的行为,但对未成年人就是"犯法"。例如:

- 宵禁后未归。
- 逃学,退学。

- 未经父母或监护人许可擅自离家。
- 某些性关系。

那么,你到底该如何适应这些混乱和矛盾?

首先,记住无论你如何看待青少年这段时光——喜欢、讨厌或两者兼而有之——它迟早都会结束。有一天,你会长大成人,拥有自己的工作、家庭以及现在只有你父母才拥有的成年人的合法权利及义务。

也许你会觉得处于青少年阶段有正反两方面。坏的方面是你被迫接受来自社会的各种复杂、混乱不清的信息。你纳闷为何你已经有选举权了却还不能喝酒?为何你通过兼职可以赚钱了却没有人相信你能够胜任专职工作?你可能也不喜欢父母及其他成人:学校老师和辅导员。他们老是对你的生活指手画脚。如果你已成年,他们就没这种权利了。也许你觉得自己已经有能力自己做决定了,不喜欢别人老在你耳边唠叨。

然而,处于青少年阶段好的方面却总是被人忽略。不管怎样,一般来说,你还不必为生计而奔波,不必负担维持家庭的责任。即使你在经济和家务上帮忙,但可能还是有其他人来承担大部分的责任。你不必自己养活自己,而条件是必须尊重抚养人的意愿,可是同时你获得一些时间去计划自己想要怎样的生活,不是马上就被成人的责任所束缚。

此外,如果你认为你父母或监护人虐待你,作为未成年人,你有权向法律寻求保护。许多法律条文限制你父母可能对你采取的行为,同时为你提供帮助和庇护(详见第 8 章)。

100 年前,法律并没有特殊照顾未成年人,也没有向他们提供保护。他们可以"自由地"从事时间长、报酬低的工作,不接受任何教育。如果父母去世或无力照顾他们,他们就可能在大街上游荡,自生自灭。虽然现在的青少年受到更多限制,但也有更多机会,受到更多保护。他们不再那么"自由",但也不必从 13 岁开始就为生计操心了。现在的青少年可以享受以前从来没有的自由:接受教育,选择职业,有时间去思考和为自己设计未来的生活。不论你认为现在的状况是不是一件好事,记住:你的青少年时代迟早会过去的。如果愿意,你那时就有权利也有机会离开家庭而独立。无论你是否热爱你的家庭,你最好时时记住这一点!

各式各样的家庭

100 年前,美国的家庭就已经是多种多样的了。

例如有如下几种：

- 父亲在外工作，母亲在家料理家务，还有保姆照顾孩子。
- 全家所有成员，上至老人下至小孩，全都在家族农场或企业里工作。
- 母亲在外工作，父亲残疾或卧病在床。
- 家庭成员是奴仆，所以孩子从小没有家人在身边。
- 和许多亲戚一起生活，如叔婶、堂兄妹、侄儿等；有的父母仍在，有的父母双亡。
- 父母及年长的子女在工作，年幼的孩子在上学。
- 还有许多其他类型呢！

此外，还有一些没有孩子的家庭，以及离婚后重新组建的家庭，这种家庭的孩子们同母异父或同父异母，有继兄弟、姐妹。即使在那个年代，成人们也由于各种原因，以各种方式共同生活。

今天，你所知道的家庭有如下类型，或许你自己的家庭就属于其中一种：

- 父亲在外工作，母亲在家料理家务及照看孩子。就像书本、电影、电视上所反映的那样，这种模式仍是许多人心目中的"标准"家庭。但是，有资料显示这种家庭已经很少了!

- 父母离异。孩子与单亲同住,偶尔探望另一方,或者到已离异的父母亲家轮流住。
- 由于父母有一方去世、生病或因其他原因不在,孩子由单亲抚养。
- 两个未婚男人或两个女人一起生活,共同抚养孩子。
- 孩子父母有一方不在,抚养孩子的是母亲和继父,或父亲和继母,或母亲与其男伴,或父亲与其女伴,或以上成员的其他组合!通常这种家庭还会有继父母原先的孩子。
- 孩子与叔叔、阿姨、祖父母或其他亲戚朋友一起生活。
- 孩子与他们的养父母一起生活。
- 孩子生活状况不固定,有时与父母、有时与亲戚一起生活。
- 一些孩子在家,另一些住在别处,如其他家庭,医院或学校或与家里的朋友一起。
- 家庭有老人同住,如祖父母、阿姨、叔叔或朋友。
- 母亲在外工作养家,父亲在家照顾孩子。

你还能想出其他的家庭类型吗?

如你所见,不论人们有怎样的设想,根本没有所谓"标准"的家庭,过去不曾有,现在当然也不会有。目前,美国大约有五分之一的孩子生活在单亲家庭。而根据现在每两对夫妻中就有一对以离婚收场的情形来看,这个数字还会不断增长。许多父母在离婚后很快又再婚:五分之四的男性和四分之三的女性在离婚三年内都再婚,因此可能会有更多的孩子会进入重组的家庭。当今大多数女性都在外做全职工作,至少做兼职,一些男性也选择时间更灵活的工作以便照顾孩子,所以出现了许多新的家庭模式。人难免会衰老、生病或有生理缺陷等问题。许多家庭都有这种成员,他们需要家人负起一些"不寻常"的责任。所谓"不寻常"只是指被"正常"家庭所误导的人的看法。

事实上,所有家庭都有相似之处,同时每个家庭也会有特殊之处。如果你觉得自己家有些"特别"或"不寻常",并且这种感觉对你造成困扰,以下有些办法你可以试试,也许对你有帮助:

做做调查。看看多少家庭有盲人,多少家庭的母亲在外地,多少家庭父母有一方失业。你就会发现你家并不如你认为的那样与众不同。

与家人交流情感。假如你觉得和朋友相比,你要承担更多的家庭责任,你得照顾兄弟姐妹或其他亲人,那么你没必要默默承受。你可以和父母商量可行的办法,与其他人轮流承担责任:"如果我愿意在星期六早上照看克里西,那么放学后能不能由其他人来照看她,这样我就能参加游泳队。"提出一个合理的计划,或是至少表现出愿意讨论问题的态度,将比纯粹的抱怨或发脾气更有帮助,也肯定会比你避而不谈好一些。

对家庭以外的人倾诉你的感受。假如你的家庭情况实在令你不愉快,假如你对于和父母共同商讨出更好的办法已不抱希望,你可能找个外人来倾诉。咨询专家、老师、成年人朋友、热线电话或是长辈也许能帮助你分析你的状况中哪些确实可以改变,哪些是你必须忍受的。你的问题如果是爷爷要早睡,使得你不能随心所欲地玩摇滚到深夜,那么可有个"外人"介入,让你父母相信你确实需要一间晚上可自由的独立房间。在任何情况下,与他人交谈都有助于你了解自己的情感。

作为青少年,最重要的事之一是要弄清你和别人的相同之处及不同之处。每个人都希望被别人接纳,但每个人又都想要有点"与众不同"。弄清自己对家庭特殊之处的喜恶也是成长的一部分。

其实每个人对自己的家都有喜欢的地方和厌恶

的地方。有时对自家的异常和不愉快状况会令你感到尴尬或羞愧,并由此而感到紧张或沮丧,甚至产生罪恶感。

重要的是你必须记住:感觉本身并无好坏之分,感觉只是感觉而已。应该从内心来判断自己该如何行动。你不喜欢的那部分是否真的糟到迫使你想要做出改变,还是你情愿忍受,直到自立而离开家庭?你喜欢的那部分是否好到令你觉得值得为此而妥协?你能不能找到一种方式,让你在享受好的部分的同时改变坏的部分?你能分辨自己能改变什么,必须忍受什么吗?

不管年龄多大,对你来说这些都是很为难的问题。成年人在处理这些问题时会有一点优势,但那仅仅是因为他们在这些问题中挣扎得更久而已。你在分辨自己对家庭的感觉时若能考虑到这一点,你在成长的路上就已经迈进了一大步。到时候,你会发现,无论是想改变家庭的现状还是欣然接受它都容易得多了。

2

尴尬与羞愧

你是否有过以下的经历？如果有，你的感觉又是如何呢？

你开始约会了。为了今晚的约会，你已打扮了好几个小时，你觉得自己看上去特别好，但你没把握，于是你来到爸妈的寝室看看他们的反应。他们却说："嘿，你的皮肤最好多涂点东西。今晚你的脸色怎么这么差？"

你和朋友打算去滑旱冰，朋友开车顺便接你。可妈妈却严厉"拷问"了你十分钟，盘问这个朋友是否可靠，要你保证不会摔断腿，确保安全开车，还有，晚上9点准时到家。而这些全被你朋友听见了。

放学后，你带朋友回家吃点心，你失业的父亲却穿着睡衣走进厨房，打着哈欠，伸着懒腰。很明显，他一副刚刚起床的样子。

你男朋友开车来接你,你妈妈却穿着迷你裙和超短上衣去开门。她对他微笑,然后咯咯笑着告诉你,你的男朋友今晚看上去很帅。

你刚把成绩单拿回家,说实话,你对所取得的成绩并不太满意。但你的不满意比起你父亲的沮丧简直是小巫见大巫。他指着那些C和B的成绩说:"好呀,不懂你将来还能做什么?我可不指望你是世界上最有出息的孩子。"

总之,父母常常无意识地做了许多让你感到尴尬或羞愧的事情。你也可能对你父母或你的家庭状况感到羞愧,因为你的情况和你朋友的不一样。学会处理这些感受就是学习如何接纳自己,认清自己的弱点和强项,同时认清自己与家人的相同点与不同点。这样会帮助你了解,人们什么时候在什么事情上会觉得尴尬或羞愧。它也可以帮助你掌握处理这些问题的方法,让你父母改变对待你的方式,以及改变你对父母行为的一些反应。

以下情况可能就会令你尴尬或羞愧,你读到这些内容时,可以考虑一下,这些是否符合你的个人情况。然后,想一想该如何处理:

你过去常认为你的父母是世界上最棒的人。现在你意识到他们也会犯严重的错误。你很生气,感觉

被欺骗了,好像他们在愚弄你。也许你还希望你印象中的"很棒的父母"依然存在,仍旧在照看着你。

你父母会嘲笑你没有男(女)朋友。 也许你也希望自己可以去约会,但又觉得不会有人想和你出去,于是你有一种被刺痛的感觉。也可能你根本不想约会,而父母这样的玩笑却给了你无形的压力。也可能你对你现有男(女)朋友的感觉并不明确,你父母的嘲笑使这种感觉更难以明了,因为你觉得你不得不一直提防自己和其他人。以上所有这些感觉也可能来自兄弟姐妹的嘲笑。

父母批评你,对你挑三拣四。 好像他们从来都不曾对你表示过赞同和认可,只是一味地否定。好像你不能拿到期末全 A,不能保持房间完全整洁,不能赢得竞赛活动的战利品,都能让他们做出意外的样子。更糟糕的是,当你的确做了了不起的事,他们也感到吃惊,好像他们一直预期着你会失败似的。你可能觉得你不管做什么都不能做得很好,或者,你父母从来就不指望你会很出色。

你做了值得骄傲的事情。 比如在一次很难的理科考试中得了 B—,这已经不容易了,而你父母此时却安慰说:"别难过,下次你可能就会得 A 的。"即使他们没有批评你,可是不知怎的,你仍觉得羞愧,好像你什么都做得不够好,好像连你自己都不知道自己到底做得好不好了。

你不喜欢父母在你朋友面前的表现。也许因为他们老把你当小孩看;也许因为他们对你的朋友不够友好,或者太过友好,好像他们认为自己依然年轻,和你们同龄一样! 他们让你在朋友面前感觉像个小孩,你不喜欢这样,因为你担心你朋友会笑话你或看不起你。

你觉得你的家庭状况和朋友的不一样。也许你爸爸或妈妈或亲戚失业了,也许你家的钱比别人的少,房子比别人的小,父母的工作不够体面,或是他们的生活方式与你朋友的不同,比如:他们是在家里工作的,穿着和别人不一样,休闲度假的时间、方式也不一样。于是你希望自己的家庭更像其他人的家庭。因此,如果家里有人离婚,有一位年迈的亲戚,有一个残疾的家庭成员,有不同国籍的父母,或是有个在你学校"臭名昭著"的家人或亲戚,都可能成为你产生尴尬或羞愧感的原因。

你知道自己的身体在起变化。你的身体以一种你不期望或不理解的方式在起变化。如果你是女孩,你可能正面临或将要面临来月经;假如是男孩,则要面临遗精。这些身体的变化会使你感到尴尬或羞愧,尤其害怕面对父母、继父母和家里其他的人。

你有过以上感觉吧？虽然大家都承认羞愧，不幸的是，承认羞愧并不会使它消失。人们做了不应该的事常会觉得"内疚"，会责备自己，会因为觉得自己"坏"而对自己发火。如果你真做了糟糕的事，产生内疚可能是一种合适的感觉。但这不是你尴尬或对家人生气的原因。

试图把各种感觉隐藏起来，假装它从未出现过，只会徒增内疚和恐惧。有时候你可能会觉得内疚，对自己发火，对自己做事的方式恼火；有时候你又害怕别人发现你是个"古怪可怕的人"。这两种做法都不会使原有的坏感觉消失，只会使你失去勇气，一事无成。

如果你身上存在上述状况，别紧张！既然你爱你的家人，就应该和尴尬或羞愧作斗争。你要做的是弄明白至少目前你想改变的状况和能接受的方法。

父母如何对待你

严厉的父母可能会在各种情况下使你尴尬或羞愧。他们也许强加给你规则，而这些比其他父母的要求严格得多，例如：提前一两个小时宵禁；除了周末不许约会;让你做家务,使你无法参加课外活动。也许他们对你要求太高,以致你老觉得自己很失败。不管你和父母对你应该如何表现的观点是否相同,要达到他们的期望值总是很难的。

与严厉的父母相处的一种途径,就是找个时间就某个问题进行沟通。如果你老是试图挑战父母的世界观,你可能不会有任何收获。打个比方,如果你对他们说:"我所有的朋友都不能容忍这些愚蠢的规则,我想你最好让我按自己的意愿行事",那么即使父母有错,他们也会将错就错下去。

其实,你可以采用另外一种方式。先从心理上分析,对于父母来说什么是重要的?这些既定规则是如何产生的?如果父母是因为担心你的作业而约束你,你可以说:"我知道,你想让我努力学习,取得好成绩,这对我来说也很重要,让我来告诉你我已经花了多少时间在学习上:我今天在学校里就完成了历史课的论文。为了数学测验我已经订好了这个星期六早晨的学习计划。所以你看我对学习多负责!我是个有责任心的人,今晚可以腾出时间出去玩的。"用这样的小策略来继续谈判,比说"让我出去玩一个晚上"这样的话让你更具说服力。你赢得这一点胜利后可以接着说:"我上星期三出去玩了,可数学测验还能得 B,所以这个星期三也能让我出去吧。"也许通过这种办法你能把这种严厉的制度稍加改变。

也许你认为,没有必要讨论你是否有权利在周末晚上出去玩,就这一点上你可能是对的。但你必须认清,到底是坚持原则和坚持正确观点重要,还是赢得一些"小胜利"重要。有时一个小小的"胜利"得进行许多谈判,有时也可能顺利得多。你不能够使父母的态度变得温和些,但是你可以改变自己的态度。

至于使你在朋友面前所遭受的尴尬,你可以事先向朋友说明:"我的父母非常严厉,他们制定了许多愚蠢的规定,但是,他们就那样,我也只能接受。所以别再说什么了,因为你们的话只会让我感觉更糟。"坦白你的情感,非但不会使你的朋友嘲笑你,反而会激起他们的共鸣。你可以问问他们:"你们的父母是否也会做一些令人崩溃的事?他们这么苛刻,不是太可怕了吗?"

如果你达不到父母的期望值,父母严厉批评了你,不妨把你的真实感受直接告诉父母。除了直接争论和反对外,你可以等到自己不太生气,比较心平气和的时候对他们说:"你们想要我考 A,你们的心情我理解,我也并不介意你们有这种想法。可你们不该因为我成绩不好而取笑我或对我发火。我想,如果你们多鼓励我,而不只是说我有多差劲,我就会更加努力地学习。我很在意你们的看法。你们说我不好对我影响是很大的。"承认你尊重父母的意见,并且让他们知道他们的意见对你影响很大,这将会改变他们的做事方式。有时父母认为他们必须说些严厉的话,因为他们觉得这样孩子才会听话。如果你告诉他们事实并非如此,他们就会改变态度了。

你要把你的和父母的想法区别开来。你要知道他们也是人,对你有很多的期望,因为他们很爱你;他们不满意自己的生活,甚至感到羞愧;他们的父母也同样对他们有很多期望;他们真的不理解你的世界和你所承受的压力。试着了解父母的抱怨中所蕴含的爱、弱点、软弱、害怕等,是件很痛苦的事。小时候,我们确实懂得不会彻底向严厉的父母屈服,但我们必须承认父母的不快乐、担心以及对某些事情的不确定,我们也应当看到,他们的批评和严厉不仅对我们更是对他们自己的影响。硬要从他们的唠叨中归纳出建设性的批评不是件容易的事。

你越关注自己是谁,自己想要什么,就越容易明白父母的立场,其实他们也有着自己的恐惧、羞愧以及尴尬。把父母当作支配一切的力量,好的也罢,坏的也罢,是一种逃避自己做决定的方式。有各方面都很棒的父母,你该做的就是服从;如果父母都很差,你不得不做的就是违抗。想一想,你所需要的是有什么能帮助你远离你的父母亲,而且这距离会帮助你更好地理解他们。这种远离是痛苦的,但这并不意味着你不再爱他们,仅仅只是你以不同的方式理解他们。有时,痛苦也是成长的一部分。

过分呵护子女的父母和严厉的父母一样使你感到羞愧和尴尬。这种父母也有一些对你来说看似愚蠢和极端的原则。他们的期望也似乎与你本人实际能力不相符。

同样地,对付过分呵护的父母,就像对付严厉的父母一样,应该一次次地商量出各种办法,并且以尊重父母的观点为前提来商量。如果你感到他们担心你会发生意外,即使他们是过度担心了,你也要承认他们有权那样担心。不要只是说:"别担心,我会照顾好自己的!"换个角色,如果你担心你关心的人,别人那样说会缓和你的恐惧吗?所以你应该说:"我知道你们担心我,我也知道深夜路上有许多酒后开车的人,但你们知道我是不会喝酒的,而且我保证会加倍地防范。我也清楚地意识到路上时刻都有其他车辆,他们并不是都像我一样小心的。"

当然,你得确保这种谈判是私下里进行的,而不是在朋友们面前！或许你能和父母做个妥协："如果你们答应我只在私底下谈论,我就答应遵守咱们的所有规定。也就是说,你们要答应我,不在我朋友面前讲,那么在他们来玩之前,我就和你们继续谈咱们的约定。"

如果你不能如你所愿,改变你父母过度呵护的行为,为了减少在朋友面前的尴尬,你就再次让你的朋友了解真相。在他们来访之前,告诉他们："在咱们完事离开前,我家长会对我定出千百个规定,所以请做好心理准备。我到时候会爽快接受,因为这总比和他们磨蹭强。"提前说明这种情形,会使你感到更能控制局面,而不会像个"无助的婴儿"。

像那些过分严厉的父母一样,过分呵护子女的父母经常会通过对孩子的期望来实现他们未曾实现的人生梦想。如果你能把你自己的能力和实际的愿望与你父母的软弱和不切实际的期望区别开来,你就能减轻因自己没有实现父母的期望而产生的羞愧感。有的人可能仍会希望父母为自己所做的一切而骄傲;或许你只希望他们夸奖你,而不是告诉你下次你应该怎样才能做得更好。不管怎样,你都应当努力明白自己的感觉和愿望。即使你无法满足自己的愿望,明白它们是什么也是有帮助的。你可能不得不接受这样一个事实：你想讨得父母开心、赞许的愿望可能都不会实现，但至少你明白了没获得赞许和感觉失败这两者的区别：没有得到赞许并不代表你就是失败的。

离了婚的父母可能会使你感到羞愧和尴尬。首先就是他们离婚这一事实。这件事会让你觉得父母不想在一起生活了，特别是当父母一方突然离家而去，或是现在失去联系了。

对于这些感受，你应当提醒自己，你的父母是因为他们自己的问题离婚的，不是因为你。这样对你或许会有帮助。如果你感觉应对父母的问题负责，觉得如果自己表现得更好，父母任何一方就不会离家，这是一种遮盖真相的方式，而这种真相是你无法控制的。比起接受父亲做了不顾及你个人想法的事情，假装错在于你更容易让你感到内疚和尴尬。如果自己因父母的离异而难过是你的真情实感的话，那也可以。你会发现悲伤和气愤的情绪能赶跑内心深处的尴尬、羞愧或内疚的感觉。了解已经有孩子的成人对离婚的感觉，或者和父母不在身边的孩子一起探讨，可能会帮助你意识到不必为此感到羞愧，有些难过和疯狂纯属正常。

但父母的离异可能导致其他问题。或许家里不同立场的人会不断地互相抨击：你母亲告诉你父亲是一个多么愚蠢的人,而祖母又告诉你母亲是个多不负责任的女人。为了辩护,他们都针对已经发生了的事,竭力向你说明,这样就使你更感到尴尬或替父母难为情。

你有许多处理这种情况的选择。你可以试着直接要求他人不要说你父母的坏话。以一种平和、直接的方式去处理问题,比用怒火和眼泪来得有效。虽然这种要求形式会令某些人不快,但也许会有效果。你可能不得不重复这些话:"我知道,你和爸爸不再相爱,但是每当你对爸爸恶语相向,都让我伤心难过。"或"咱们聊些别的吧。"你会发现这种表达方式就是要重复,但坚定地强调同一句话总比卷入一场争论有意义得多。除此之外,你也别卷入谴责你父母的争论中,因为你的目的无非是想制止这些谴责。虽然改变不了他人对你父母的看法,但你可尝试着改变他们说话的内容。

如果你无法阻止这些争论,可试着缓和他们的做法。可以的话,离开房间或试着改变话题;若你是一场大型家宴上被纠缠住的客人,你可以有礼貌地离开,去一趟卫生间等,等你回来时,话题或许已经换了。不应该试图在争论中打败父母;争论只会让你指责双亲。你应该提醒自己:人们在争论是出于他们自己的原因,而不是因为你或你父母是坏人。如果你认为有必要解释你的怒气,那你应该把精力集中在让他人停止对你父母的争论上,而不是一味地袒护你的父母。"他是我爸,所以我爱他"之类的话比"让我告诉你为什么他这么做是对的"更难说出口。

有时父母分居,离婚或仅仅是吵架都会使你处于尴尬境地。例如,他们有可能用礼物或是一些特权"贿赂"你,企图打探另一方的情况,或邀请你进行"合理"的谈话,问你更喜欢谁或父母另一方到底怎么了。你可能融入这种对话而事后发现你自己因此感到尴尬和羞愧。若碰见此类的情况,为自己制定一个原则吧:与父母中任何一方保持过分亲密关系会让你与另一方疏远。不要在任何一方面前讨论有关另一方的话题,哪怕父母间这样简单的问题:"是爸爸让你待到这么晚的吗?""你妈妈过得怎样?她开心吗?"你有权利爱自己的父母,并且你也有权远离他们的冲突。若父亲问你有关妈妈的事,你可以直接说:"你可以自己去问妈妈。现在我是和你在一起,咱们来谈论你吧。"你不需要解释你为什么觉得好笑,也不必要求父母双方改变他们的行为:请不要再向我打听爸爸的情况了!你的注意力只需集中在更多更好地珍惜与父母共处的时光这一件事情上。虽然你父母在接受你"两个都爱"的观点上有些困难,但你可以在他们之间建立起独立的、相互关爱的关系。

有时单亲家庭的孩子难以接受父母的社会生活方式。母亲出去约会或父亲交新女朋友都可能使人觉得羞愧不安。

另外,这种种感觉也许会掩盖比尴尬和羞愧更难应付的情感。你难道不怕你父母喜欢他人胜过于你?你难道不怕你父母对他人关爱太多而没有剩余时间或情感留给你?你难道不怕你交往的男(女)朋友会因你来自单亲家庭而与你停止交往?当然会。

此类情感问题总是很令人头疼的。但你至少应该学会用心去处理问题,不要因为尴尬或害羞而把它们掩盖起来。总有一些事实令你担惊受怕,比如你妈妈因有了新男友而减少了花在你身上的时间;而你爸爸又刚与新女友分手。试着从不切实际的害怕中超脱出来吧,因为妈妈只是暂时被他人占有,这并不意味着她会永远忽视你,她只是减少和你相处的时间而已。

同样地,你可以试着力所能及地改变一些状况。你可与父母达成协议,每周腾出特定时间与你单独在一起。当然,与其采用生气或愧疚的方式来解决冲突:"我恨你!你根本就不是个称职的妈妈!你总是那么忙!"倒不如真诚地和父母分享你的情感:"我想你,愿意咱们俩待在一起的。"同样地,你可以告诉父亲你对成长过程中会遇到的起起落落感到有些害怕。这样,虽然父亲无法保证他和新女友是不是永远在一起,但他可以向你承诺,无论发生什么,他都会与你同在。

总而言之,有时你无法让处境变得令自己感到满意,但正视自己的情感总比用尴尬和羞耻掩盖往事的好!假如你仅仅是因为觉得母亲运气比你好而不喜欢她外出约会,那么你至少应该认识到她的活动并不是导致你痛苦和害怕的原因。假如你不喜欢父亲有新女友,因为这意味着你无法长时间与他在一起,那就承认你想念你父亲这个事实吧,并且希望他也愿意花更多的时间和你在一起。这样做可能会感到痛苦,但总比责备自己或对他感到羞耻好!

你的父母如何对待你的朋友

你的父母可能用许多你不喜欢的方式对待你的朋友,引起你的尴尬或羞愧。你可能会察觉到他们这样做:

- 戏弄你的朋友。

- 向你的朋友吼叫。
- 揶揄你的朋友。
- 批评你的朋友。
- 问你朋友令他们尴尬的私人问题。
- 把有关你或你家里的隐私告诉你的朋友。
- 在你朋友面前吵架而泄露隐私。

现在,缓解你的情绪的最好方法就是从这种感觉中回到现实中来。你心里不高兴,因为让你朋友知道了你的隐私,知道了你父母的隐私,这里面有多少是真正困扰着你的?如果你的朋友知道了这一切,他们真的会瞧不起你或者从此对你另眼相看吗?就算他们讨厌或者看不起你父母,这会影响到他们对你的看法吗?

每个人都希望有令人骄傲的父母,也希望自己的朋友尊敬他们。这种希望有时候可以满足,有时却不行。但这也可能是因为你要你的朋友尊敬你父母的愿望太强烈,以至于没有给你朋友或父母足够的重视。若你妈妈读错了个字,你爸爸剪了个很糟糕的发型,这都不会使你的朋友看不起他们,尽管你也希望你父母每天总保持完美形象。

或许你的朋友由于好的或不好的理由真的看不起你父母;或者你朋友自己也正情绪低落,面对着自己父母的烦心事和经济问题,或者犯了一个什么小小的失误。如果是这样,你不得不决定该怎样看待你的朋友,但是你应该继续接受你父母跟其他人一样会遇到问题和难处的事实。你也许会希望你父母很完美,但你不得不学着接受真实的他们,正如你希望他们也能接受你的错误一样。

你父母也许在你朋友介意的方面表现较为恶劣。他们对你很专制;他们不愿意你把举止粗鲁的朋友带回家,或者是批评你的朋友。如果是这样,你可以试着跟你父母沟通,尝试着去找到他们如此表现的原因。如果他们是担心你似乎有点"早熟";或者他们需要知道不管你有多少朋友,你仍是爱他们并且依赖他们的;或者他们只是担心你交上"坏朋友",那么就让他们有机会多了解你这些朋友吧。或者你只是喜欢你朋友的另类个性,而你父母却不能接受,那么你该检查自己的价值观了。你得接受你父母跟你朋友之间的差异,并努力缓和局面,避免引起冲突。在朋友到你家之前,跟他们交待清楚:"我父母可能对你有些不礼貌,我也不喜欢这样,但是他们本来就是这个样子。我们进了门跟他们打声招呼就到我房间去。"你没必要因此对你的朋友或者父母说抱歉。

父母因酗酒而粗鲁地嘲弄你朋友,或者在他人面前大打出手。这样问题就严重了。如果你父母的行为真的不是那么得体,请记住,他们的行为不是你的责任。你的朋友更多的是看待你怎样处理这个问题,而不是你父母怎样处理。如果你陷入窘境,你的朋友也多半会显得尴尬。这种不愉快的情绪一直持续下去会令你朋友不开心,也会影响他们对你的看法。如果你能给他们一些暗示,他们会愿意跟你一起面对。事先或在适当时候告诉他们:"你知道我父母这段时间常吵架,我讨厌他们这样,但事实就是如此,所以别大惊小怪。如果他们真的吵起来,我们就溜出去散散步,等事情平静了再回来。"

或者这个时候你可以勇敢地承担责任。当你父母开始吵架,你可以告诉你的朋友:"咱们出去吧!"接着离开家,坦白地告诉他们:"我的父母相处不好,但是你知道他们的争吵和你没有任何关系。"有朋友一起分担你的感受,这会让你和朋友更加亲密。如果你不喜欢过多地谈论你的家庭,你朋友也会尊重你的隐私。不管怎样,他们都会对你表示友好,不管他们是怎样看待你父母的,而这才是你应该注意的地方。你不能控制父母对待你朋友的态度,但是你可以控制自己对待朋友的态度。

如果你感到你的父母或者其他家庭成员出现严

重问题,不管是吸毒、酗酒还是斗殴,都会影响到你的家庭,你应该联合其他人开个家庭会议。本书第6章,可以给你提供解决这类问题的方法。

面对青春期生理变化带来的窘迫

大家都知道青春期是身体发育快、脾气多变、令人慌乱的时期。在青春期,不管是男孩还是女孩都开始了生殖器官的发育,阴毛及身体其他部分的毛发开始出现,同时还有强烈的性意识。这些变化不是同时全部发生,发生的顺序也不一样。这个时期,女孩开始了月经,乳房开始发育;男孩有了遗精,开始长胡须,而且还开始变声。伴随这些变化的还有强烈的抵触情绪,一部分是受内分泌变化的影响,一部分受周围人异样眼光的影响。

这些身体变化如果在私下里悄悄发生都很难应付,更何况发生了以后众所周知!这些变化使得青少年遭戏弄、嘲笑,甚至批评,还有各种来自父母和家里其他人的杂乱迷惑的启示。

你该怎样面对这些嘲笑呢?办法之一就是直接对嘲笑你的人说:"对不起,我不明白这有什么好笑的,请给我解释一下。我实在看不出哪里好笑。"你不可能"赢"得这场争论,但你可以让这些人感到不舒服,因而停止嘲笑你。

你可能会想私下和父母亲谈谈你的感受,想让他们知道如何尊重你。例如,你父亲戏称你为"胖宝宝",你可以找一个你不是特别生气的时候,把他拉到一边,说:"爸,我知道你这么说并没有恶意,但我感到不舒服。我知道你不是故意让我感到不舒服,但这样确实让我难受。你就别这样叫我了。"如果你母亲总是不停地唠叨:"我像你这么大的时候啊……"你可以请她告诉你她在青春期的感受。也许你能学到些有用的东西,并结束她那令你感到不安的对比。

同时,你尽可能多地收集关于青春期方面的信息。可以找顾问、校医、体育老师、班主任以及你认为可以安慰你的人谈话。如果想谈身体和心理的变化,你可以找不同的成年人来讨论不同的话题。比如,你可以找医生帮助你了解身体上的变化。当然,你也可以和父母谈!如果你对他们敞开你心扉,你会惊讶地发现他们对你的帮助有多大!

当你为自己对同性产生性冲动而害羞时,别紧张。许多人在某些时候对同性都会有性冲动的,在青春期有这种感情最平常不过了。你可以用这些经历来决定你下一步该如何做。大部分人只保持与异性的性关系而不再与同性联系,一些人变成同性恋者,还有一些人既不与同性也不与异性保持性关系。你可能会找个顾问或支持者来帮助你协调使你感到痛苦和不安的情绪。这是件棘手的事,连成年人都很难处理。但请记住任何情感本身都没有错,你想如何发展这些感情是你自个儿的事。

面对来自家庭的尴尬和羞愧,你可以这样做:

- 开个玩笑。
- 很自然地用嘲笑回敬他。
- 生气地争辩。
- 适时地问你父母该如何处理。
- 心平气和地制止对方令你不舒服的行为。
- 离开那间屋子。
- 把你的感情写下来或用画画来宣泄。
- 和个别朋友或成年人谈谈。
- 记住,总有一天你会长大。那时,只要你愿意你就可以离开家。
- 记住你父母亲也是人,人无完人。

3
独立与隐私

学会自立是青少年处理与父母关系所面临的最基本的挑战之一。美国的中学校园顾问、心理治疗专家多里安·索特博士是这样说的:青少年时期是完成"扩大独立自主领域"的阶段。

一方面,你通过尝试改变自己的行为方式、思维逻辑、衣着打扮,努力增强对自身判断力的信心。你应当努力去寻找、选择适合自己的生活方式,而不是简单地让家里人来安排你的生活。

另一方面,在过去的十二年或是更长的时间里,你父母或其他成年人一直都在负责照料你的生活。要他们放弃作为你的生活顾问或是照料者的角色可能很难接受。因而,当你开始去尝试新事物时,可能会觉得父母的关切给予你很大的压力,有时甚至快"闷死"了。但是想像一下你出生时父母的处境。那时,你的生活完全要依靠他们大人。照料你生活的人要考虑你的一切需求,虽然你也许无法解释你需要的是拥抱而不是食物,也无法说明你哭是因为冷,而不是因为饿。总之,大人们要很细心地揣测你的需求。等你长大点儿,变得独立些了,他们又要保护你,不让你去做傻事,让你远离危险,比如不让你把手放到发热的炉子上,或是乱穿马路。

在这个时期,你觉得你能够自己去做很多事情,但又觉得父母不想让你去做。在你看来,这很难忍受。你父母认为在你长大之前如果允许你去亲身体验新事物,你可能会受到伤害,或者如果他们等到你提出时才帮你,有可能为时已晚。因此,要他们放手是很困难的。当然,现在这些假设都不成立,因为你长大了,只是他们还无法调整自身来适应新情况。

另外,如果你还是学生,并且还住在家里,在某些方面必然要依靠你父母,比如经济上。作为一个年轻人,你有时也还是需要别人给你出出主意或是提供引导。而能为你提供这些帮助的只有经验比你丰富的长者。要接受这些矛盾的说法也许很难:一方面,你觉得你是大人了;另一方面,在受到伤害时,你又渴望有人来关心你。

在这种环境中,任何事情都可能会引起你与父母的争吵,比如,穿什么衣服,吃什么东西,什么时候回家,等等。你生活中的每个细节都是在考验你的独立性,都为你提供了机会,并以此来证明你不再需要他们,你能独立生活。而你对独立自主的渴望又会引起你对父母的不满。不管你多么爱他们,有时候他们看起来就像是你与自由之间的一堵墙。

然而,很有意思的是,你对父母越是不满,就越可能表明你依赖他们。回想一下你上一次对父母或其他人发脾气的情形。那样发脾气真的让你得到了自由去做你想做的事了吗?还是你一直对那人耿耿于怀:"我会证明给他看!他一定觉得他是对的,我是错的。但是如果结果是我对了,那么他……"生气并没有使你疏远他人,相反,对他人发脾气只会让你对其念念不忘。不难看出,你对父母发脾气的次数越多,越证明他们在你生活中的重要。

不满,争吵,这些都是生活中不可缺少的。正如索特博士所说的:"争论有助于你发现自身的价值。""孩子在寻求自身价值的过程中需要挫折。"这样能帮助你认识到争论是有益的,还有助于你做出决定,让你更加独立,而不是让你陷入"不满—发泄—愧疚"这样一个怪圈。

现在我们来举一个美国中学生的例子。在离他家一小时车程远的地方将要举行一场摇滚音乐会。他认识的一些孩子打算去听。他想同他们一起去,但是他知道那种地方充斥着酒和毒品,回家的途中会有危险。现在他面临艰难的抉择。他必须要独立进行判断:在那里会开心吗?会不会不舒服?往返途中安全吗?有能信赖的人让我搭车吗?有钱买票吗?还是应该把钱攒下来,买那件心仪已久的皮夹克?作为一个独立的人,他必须要在这些相互矛盾的方面进行选择,做出决定。

如果这件事发生在你身上,先不考虑你父母是否会同意,你可以肯定的是,用某种方式与父母交谈一定会引起争吵。假如你只是走进去,然后漫不经心地说,你要去听音乐会,并且把所有他们担心的情况都摆出来,这样一定会引起争吵。这场争吵在一定程度上能帮你"下定决心":父母越是反对,你越要去。安全、金钱还有是否会玩得开心等问题都被抛到九霄云外。这时你所在意的仅仅是对父母的不满。

假定你父母最终没有同意让你去听音乐会。事实上,在你权衡利弊之后,你自己可能也不想去了。但是你的说话方式引起了争吵,你就不知道如果争吵没有发生你会怎么办了。你也不会了解如果你采用另一种说话方式,你父母会不会同意你去。比如你说,"请听我说说音乐会上可能会出现的状况,还有我打算怎么应付。首先,让我搭车的朋友不喝酒也不沾毒品,所以回来是绝对安全的。其次,我在课余时间打工赚的钱足够买门票,所以钱的问题我可以自己解决……"

相反,由于父母本来就不许你去参加音乐会,这让你比什么都不满。此刻你已把自己做的决定抛到脑后。你满脑子想的只是父母的决定让你很不高兴。在开音乐会的那天你会尽量在他们面前表现出你的不满情绪。虽然你无法去听音乐会,你还是会到凌晨两点才回家,为的只是证明你能够挨到那么晚。你父母在与你争吵了一天后备感疲惫,接下来,他们会花一星期的时间来教训你。

也许事后你会感觉很愧疚,因为那天你那么任性地对待自己的父母,而且那么晚才回家睡觉,让他们很担心。你发泄了不满情绪;通过在外面耗到凌晨两点,你证明了你的能力,但是这并不是你想做的。尽管如此,不久后你又会有新的理由对你父母表示不满:毕竟他们教训了你一星期!你非但没有得到独立,反而只是证明了你父母的意见和行为对你是多么的重要。在这一过程中,你同时也失去了你想要的。

现在来看看这一故事中的"你"放弃了哪些可以

做的选择。首先,你可以考虑一下最基本的问题:要不要去参加音乐会?你可以找你的朋友或是同学帮你出出主意,他们的看法对你的影响没有父母的大。当然,若是你还不太确定是否需要他人帮你弄清自己的想法,或者你只是想要别人肯定你的想法,那么与他人交流就会很困难。同时,如果你想要自己做决定,就不必与那些有能力帮你的人交谈,除非你愿意由他们来为你做主。你必须让交谈对象明确你的意思是"我想要知道你的想法,这样我就能拿定主意了"还是"我想知道你的想法,但是我仍想这样做。不管怎样,还是谢谢你!"在你父母让你自己决定的情况下,你可以与他们商量,因为你们彼此都清楚最终的决定权在你手上。但是,如果你认为父母想要帮你做最后决定,那么在你弄清楚自己的想法之前,不要与他们商量,除非你心甘情愿让他们替你拿主意。

所以,在你做决定时,可以考虑一下朋友或是父母以外的其他成年人的意见。毕竟自己拿主意或者寻求帮助,都是走向独立的一步。现在,让我们就上面的例子做另一种假设:你已经决定去听音乐会了!

下一步,就是要接受你依赖父母的事实。

对此你也许会有疑问:"接受事实?难道这样也能算独立吗?"

是的,能。假设你与父母交谈时表现出很生气,并且一直在担心父母不会同意,那表明你还没有认清交谈的目的。作为一个自由的人,你若认为音乐会很重要,完全可以不用征求父母的许可直接去听音乐会。但是,同时你要清楚这种决定可能带来的后果。这样你就不会为可能要面对惩罚而发火。相反,你还会清醒地认识到,等待你的将是什么样的惩罚以及音乐会到底值不值得去。

你也许也意识到了,大人们每时每刻都不得不作抉择。有没有听父母亲这样说过:"我实在是不想去参加这个派对,但是如果我们不去,会不会辜负霍奇夫妇的盛情?"对他们来说,参加派对只不过是为了尊重他人的感受。或许,你还听你父亲或母亲这样说过:"我知道老板不乐意让我请半天假,但是,我必须腾出时间为我们周末旅行做准备。"你父母都很清楚有的决定会让其他人不开心,但无论如何,他们还是要这样做。

有趣的是,当你认识到你还是依赖父母的,比如你还在意他们的看法,希望他们能开心,认为自己必须守规矩,因为你毕竟还住在家里,那么你想要独立的想法也会随之增强,认为只要能满足自己的需求,就不用在意父母的感受,认为在不久的将来就要离开家庭生活，经济独立。接受依靠父母的现实就意味着你能心平气和地和父母商量去音乐会的事，而不是只知道发脾气。同时，也表示你认识到他们在这件事上可能会有较强烈的反应，你能理解他们担心你的心情，并且能够向他们解释为什么这样的担心是不必要的，而不是因他们禁止你去听音乐会而大发雷霆。你会尽力向他们说明，你了解他们的担忧，也很尊重他们，不因为去听音乐会需要他们许可而感得不满。

当然，有些时候你可能无法压制你的怒火，非得表现出来，这时你也确实需要这样做。你有时觉得，不管是以争吵还是以令人厌烦的方式，你只有向父母表明想法后，才会知道自己真正的想法。这类冲突不仅出现在青少年身上，在其他年龄段的人也有可能发生。了解这些冲突的模式，能帮助你选择与父母争论的话题。

下面这些话题大概值得争论：

- 多晚回家？
- 父母有没有权利命令你做作业？还是安排学习计划是你自己的责任？
- 你对自己赚的钱或者父母给的零用钱有多大的支配限度？
- 你是否可以决定自己的穿着？

有些话题可能就不是很适合讨论了：

• 你计划在离开父母独自生活后的 5 年里做什么？——你为什么非要父母相信你的安排比他们的好？难道这种事情不是要由你自己做主吗？

• 父母的政治观点或是宗教信仰是否正确？——难道那不是他们个人隐私吗？

• 你的政治观点或宗教信仰是否正确？——难道这不是你个人隐私吗？

• 你们都认识的人的所作所为是否正确？——既然你父母和你无权干涉别人的决定，就算你不赞成，又有什么意义呢？

前面一部分的话题是值得争论的，因为他们涉及你的日常生活，关系到你是否享有你所想要的自由。这并不等于后一部分的话题不重要。实际上，对于你的成长，它们可能会显得相对更重要些。为什么与父母争吵，而不是与朋友或其他大人商量？对于其中重要性，你一定要明确。当然，你若喜欢与父母谈论政治问题或是剖析某个朋友的行为动机，那也可以畅所欲言。但是，若你觉得谈话所涉及的话题会引起争论，那么在选择话题时就一定要小心。有些话题只适于与父母探讨，那么你就可以放大胆子。但是，切记不要与之争论那些不合适的话题。

如何处理你的依赖性

作为青少年,你经常很容易就会忘记一个很重要的事实:一切事物都不是一成不变的。今天你觉得身陷绝望的谷底;明天或许你就会觉得处于幸福之巅。这些感受可能在当时很强烈,没过多久就烟消云散了。

同样地,有时你觉得自己已经独立了,能够以认真负责的态度向你父母表达你的愿望或决定;有时你又觉得很无助,需要有人来关心你,告诉你得做什么。

要处理好这些感受,你必须学会接受它们,不管是愤怒、悲伤、失望、孤独,还是快乐、骄傲与自信。此外,要牢记的是,父母不一定能够跟得上你这种情绪上的波动。索特博士认为:"当你突然间想要表现得独立的时候,你父母可能反倒认为你正需要的是父母的呵护。"而当你希望父母能像小时候那样注意到你沮丧的心情时,他们又会像你先前希望的那样袖手旁观。

索特博士提出,这种时候,幽默感可以帮助你。当你感觉受到伤害,很无助,或是需要情感上的"抚慰"时,你找出你 4 岁时盖的小毛毯,向父母挥一挥表示你的意图。或者使用特定的暗号向他们表示情绪上的波动。比如,白头巾表示"我可以自己处理问题,不需要你们的帮助";红头巾表示"我想知道你们的意见,我需要你们给我安慰"。当然,不必要有这么具体的暗示,你完全可以以开玩笑的方式,让父母明白你希望他们能改变对待你的方式,而不是表现出不满或不耐烦,尽管有时候你只能发泄你的不满,因为那是你真实的感受。如果你真正需要的是一个拥抱或一句"不用着急,我们相信你能行",请求的方式会比发泄不满的方式更有效。

你也可以在事后向父母说明你情绪上波动的原因。比如你昨天心情不好,你可以在今天向父母说明情况,"我知道昨天我有点反常,一定添了不少麻烦。现在我没事了。"你不必道歉,只要让父母知道你已认识到自己的行为影响到他们了。不管怎样,如果你有个朋友整天闷闷不乐,而他告诉你这并不是因你而起,并且他也意识到他的情绪让你感到难受了,难道你会不体谅他吗?同样地,把你的想法告诉父母能让他们更容易应付。

索特博士建议,你感觉快"受不了"了,可以先暗示你父母。在你还没有表现不满之前,先解释清楚:"我回房间,关上门,只是因为我想一个人安静一会儿。"你要和父母沟通,让他们清楚什么时候你想要安静一会儿,什么时候你愿意和其他人在一起。这样,你父母才能理解你所想表达的意思。比如,你是想说"我们以后再谈好吗",而不仅仅是"别理我"。同时,你也能对你父母表示理解:"我想要和你谈谈这件事。现在谈还是以后谈都行。"你们可以在双方都心平气和的时候进行交谈,这样较容易处理好问题。

就像索特博士所指出的那样"渴望独立与需要安慰并不是青少年所特有的情感,这伴随我们一生。"你不妨问一问你父亲或母亲:"你有时也会有同样的感受吗?"注意观察一下你的朋友和他们的父母是怎样相处的,可能你就能找到和你父母融洽相处的方法,或者你会发现你父母对你们的关系处理得很不错。

不管怎样,你还要记住索特博士所说的这一点:父母与子女的关系经常会让双方都觉得失望,"因为双方都是以自己的方式来处理事情的"。你独立的一面可能会让你有自己的处事方法,而由于害怕得不到父母的认可或疏远父母,为了能与父母保持一致,你依赖的一面又会使你的处事方法受到父母的影响。

有时,你可能还会有这种感觉:在处理某些问题时,你父母希望你能和他们保持一致,这种感觉有助于你找到说服父母的途径。而接受你与父母之间存在的差别,也是你走向独立必然要面对的。成年以后你可以自由选择与自己兴趣相投的朋友或伙伴。但是,目前你要明白自由行事与征得或说服父母同意之间的差别。

保护隐私

对你和父母来讲,保护隐私这一重要问题就像一把双刃剑。一方面,你想要拥有自己的个人生活;另一方面,作为子女,你得向父母报告你的一些生活状况,比如你需要他们在你成绩单上签字,或是要他们不用等你吃饭因为你要去参加一个什么样的活动。

实际上,父母也是左右为难的。一方面,就像他们希望你能尊重他们的个人隐私一样,他们也想要尊重你的隐私;另一方面,作为父母,他们必须对你负责,他们担心你会出事。这些并不代表父母不信任你或是他们怀疑你的能力。那表示你父母习惯为你着想。记住,在你长大之前,这是合情合理的,即使现在看来可能不是。而且要他们在一定的时间放弃这一习惯也很困难。

就像上面谈到的自由与独立一样,你越是接受父母的关心,就越能保护好你的个人隐私。如果你醉醺醺地回家,或是他们一闻就知道你抽了烟,你觉得他们会怎么做?在你做父母不会赞同的事情之前,要考虑到他们的想法。如果知道他们会担心、生气或失望,你要认真考虑一下是否值得去做。你也得准备好面对可能出现的后果——就是可能侵犯到你的隐私。虽然有些事情是可以商量的,但是有一些没有商量的余地。而有些事情可以等到你独自生活后再做。此外,你可能还会发现,你身上的责任越大,你就越愿意接受你父母提供的帮助或是建议。有一点是可以肯定的:你不必非要一个人解决那些棘手问题不可。

通常,隐私并不是指你做了父母不赞同的事情。你可能只是想要有一个个人的生活空间。你不想让他们检查你的房间,也不想他们没敲门就进你房间。当然,你不想他们这么做并不意味着你在做"坏事",而是因为作为一个人,你希望你个人的空间得到尊重。

把你的这些想法告诉你父母就意味着你在保护个人隐私方面迈出了重要的一步。索特博士认为,你可以这样劝告父母:"我不擅入你们的房间,所以我也希望你们能尊重我个人的空间,那样的话我会很高兴。"不过,这样也就表示你不能随意进入他们的房间了!如果你老喜欢溜进父母的房间借用你母亲的衬衫或是你父亲的毛衣,那么要让他们听从你的劝告就不大容易。

好奇是人类的天性。索特博士指出:"你对父母的私人生活感到好奇,他们自然也会对你的私人生活好奇。但是这样并不等于窥视他人的生活是对的。有一点很重要:你应该让他们知道你希望你的隐私得到尊重。很不幸的是,并非所有父母都能做到这一点。"在你表达了你希望隐私得到尊重的愿望之后,如果你仍感觉你父母不愿意尊重你的私人空间,你可以在外寻找一个你觉得可以自由掌握的空间。如果你还在上学,你可以选择朋友、亲戚或是其他成年朋友的家,只要他们愿意给你提供一定空间让你保存日记、私人物品箱或是你珍爱的影集就行。需要说明的是,如果你要使用他人的空间,就必须尊重这一空间,就像你希望自己的空间得到尊重一样。而利用这一空间的目的也必须是主人所应允的。

隐私问题对于单亲家庭的孩子更是难以处理。比起其他小孩,他们心里更清楚他们想要了解父亲或母亲的私人生活,而同时又想要保护自己的隐私。他们可能还会觉得父亲或母亲对他们的生活干涉太多,感觉自己需要已离开的那一方家长的关爱,并且被这种感觉压迫着。

在这种情况下,你要牢记你父母的想法以及你自己的想法。这并不是要求你按照你父母的意愿去做事,而是为了让你能与父母更和谐地相处。比如你母亲似乎过于关心你的社交生活,而你又想在适当范围内保护自己的隐私。遇到这种情况,你有很多处理方式可以选择:只要提起这个话题你就发发小脾气;或者简单敷衍一下;或者反过来问她一个什么问题或是拿她的社交生活开玩笑;或者简单地讲点情况;或者讲讲你对这些话题很反感的原因;或者提议讨论一下什么样的话题是双方应避免谈论的;或者腾出特定时间"联络感情",这样既保护了个人隐私,又亲密了你和父母的关系。

你可以在上述的方式中选择一种,或是全部采纳。关键在于你要选择你认为能最有效达到目的的方式,不能单单出于不满和无助就意气用事。你可以根据对父母关心程度选择不同的方法,看看他们对你的关心是由于生活寂寞还是出于对你的不信任。

通常,你如果主动对父母讲一点你生活的情况,就能较容易地避开那些你想回避的话题。与父母交谈能使他们相信,你在乎他们,还为他们着想,同时也帮他们描述你的生活,虽然不一定很贴切。你和父母亲可能都想在维持一定联系的同时,又学会保持一定的距离。要做到这一点,你就要确定你生活中哪些内容可以与之分享。

有时候你,特别是单亲家庭的孩子,对父母的私人生活会很感兴趣;或者他们突然告诉你一些你不愿知道的情况,使你觉得很压抑。特别是你若知道你父亲或母亲在与其他人约会,你会觉得很难接受。

从某种意义上说,你必须学会在你不喜欢的环境中生活。就算你不喜欢你父母与其他人约会,你是否就想躲开他们以此假装他们的约会根本就不存在?你是否宁可他们对你隐瞒?或者希望他们能放弃某些重要事情,虽然做这些事让他们很开心?即使这些是你所希望的,事情也未必会是你所想像的。如果你真正成为父母生活中惟一重要的人,你也未必乐意,因为那样你就要承受巨大责任和要求。

然而,你可以区分你需要了解的与不需要了解的。弄清你不想与父母交谈的事情,并且让他们知道。那么他们提起这些事情时你就可以简单回答了。比如你可以说"我不想听那些事"。说话时语气要平和,尽可能不带感情色彩,然后尽快转移话题。如果无法转移就暂时回避一下。尽量不要争吵,特别是双方存在很大分歧的时候。争吵只会让你接触更多你不想了解的情况,因为你们双方都会尽可能用更多事实去说服对方。

同样地,你父母也有要求他们的隐私得到尊重的权利,特别是在社交方面。生活中你要学会尊重他们的这种权利。可能你渴望了解一些你心里很想了解的事情。你是否因害怕父母的约会对象夺走父母对你的爱而对他们感到好奇?你是否会怀念以前与你父母相处的日子?是否想通过询问他们约会对象的情况来间接告诉他们你不想被忽视?

你若找到与父母交流的途径,你也就等于为他们提供机会满足你情感上的需要。就算你还是不喜欢,而你父母也还是继续约会,还是以你不喜欢的方式继续过属于他们自己的生活,但是他们也仍能付出你所渴望的关爱和鼓励。并且因为知道问题所在,你也会觉得轻松许多,不必整天因为对别人的私生活感到好奇而忧心忡忡。

在以后的日子里,你会交朋友、谈恋爱,终有一天你也会有自己的孩子要照顾。但是如何处理隐私问题对你还是同等重要、同等困难。相爱的人总是需要而且渴望能了解对方的生活,同时也要求保护一定自己的感情世界。要平衡这两种需求是很难的。虽然时间在不断流逝,人们也在不断改变,在你处理各种不同关系时,这样的难题会反复出现。现在处理好与父母的关系能很好地帮助你以后处理好其他关系。

最后提醒一点,每个人有权保证自己的身体不受侵犯。如果你父母或其他大人触摸了你不愿意让人触摸的部位,或者在某些情况下此类接触让你感到不安;还有,如果在家里有人偷看你在浴室里脱衣服,或是发生了其他让你觉得不舒服的情况,你有权采取行动保护自己。如果你家人中有人能帮你,就把情况告诉他。如果没有可以告诉的其他人,比如老师、律师、亲戚或者其他成年人。你要解释清楚你的处境以及想法。如果那个人的回答无法让你满意,就找其他人。你有权保护自己。

下面方法能够帮你处理好如何保护个人隐私与如何同父母相处这两方面的问题:

了解他们的生活经历,特别是他们在你这个年纪时的感受。这样能帮你把他们放在平等的位置上看待,而不仅仅是父母。从中你也可以进一步认识自己。如果这种交谈的话题让你感兴趣,你在交谈过程中谈自己时就不会感觉隐私受到侵犯。

找出你愿意与父母分享的事情,并且主动与之分享,即使这需要一定勇气。对自己子女的生活一无所知,总会让父母们很不安。他们往往会往坏处想。

如果你希望他们尊重你的隐私,请同样尊重他们

的隐私。就算你父母没有同样这么做,你也会高兴多了,因为你分清楚一些事情的界线了。不论父母怎么做,以你希望他们对待你的方式来对待他们,你会觉得自己长大了,更加独立了。

找件事情做,从头到尾由自己全权负责。你可以做必须得到父母许可的事,比如为家人做饭;或者是不需要许可就能做的事,比如整理储藏室。你会发现,完全由自己负责和把握的感觉能帮助你在别人眼里树立一个独立形象。你也可以做一些与家庭无关的事,比如写写小故事或是做社区活动的志愿者工作。有些事对你来说很重要,虽然要花费精力,但是能给你带来满足感。你越是能感觉到自己在完成过程中的独立性就越不会去在意父母的想法和限制。

记住父母同样也是人。他们也会像你一样感到恐惧,也会有缺点,不是十全十美的。

4
日常生活

你和父母是如何处理你的自由和隐私问题的？不外乎是通过日常生活细节来体现吧？例如家务活、金钱、言行举止、家庭作业，甚至只是相互之间的平淡相处。这些家庭琐碎问题在你将来生活中，特别是离开家和他人一起生活以后，仍是至关重要的。因此，处理好这些问题对你将来大有裨益。

当然，和父母一起处理这些问题有别于和其他人一起处理，不同之处在于：父母拥有最终决定权。有些父母很会安排家务、制定规则，家里人都会服从；有些父母只会制定严格、明确的规则；还有些父母不明确说出他们的规定，但你若不遵守他们又感到失望。至于上述问题，你应该首先判断家里的具体情况才能准确断定如何处理。

你可以由下列问题开始，采取自问自答形式反思。如果家庭生活的有些方面特别令你沮丧或迷惑，你不妨把它写下来。把你喜欢不喜欢的全部罗列下来，这样有助于你清楚自己的喜好。你可能发现实际情况比你原本认为的更快乐或更愤怒呢！还有，把这些情况写在纸上，摆在面前能让你更清楚地思考自己该如何做。

- 你家里是怎样规定的？不管是否明文规定，把你能想到的都列出来。例如"在非就餐时间吃东西就得自己洗盘子"可能是一个挑明的规定；而"虽然路易叔叔为人粗鲁，但也要对他有礼貌"可能就是没有明说的规定。

- 你认为那些规定每个人都清楚吗？
- 还是你觉得那些规定并非每个人都清楚？
- 你怎样能使不清楚的规定变得清楚些？
- 你认为那些规定公平吗？
- 还是你认为那些规定不公平或不必要？
- 你最不喜欢哪个规定？
- 家里还有其他人不喜欢这个规定吗？

- 你家里有哪些惩罚措施？把明说的，像"如果你过了晚上×点回家，就得拖一个月地板"，和没有明说的，像"如果你把卧室弄得一团糟，爸爸就会生闷气,就好像你侮辱了他一样",一概列出来。

- 你觉得那些惩罚公平吗?
- 你是否觉得那些惩罚不公平?
- 对于你觉得不公平的惩罚有人赞同你的看法吗?
- 你认为可采用哪些措施来替代这些不公平的惩罚?
- 你最不喜欢哪项惩罚措施?

- 哪些家务活是你的责任?哪些事情你若不做就会有人生气?把它们写下来。
- 其他人分配的家务活又有哪些?别忘了罗列出大家认为的应是妈妈的责任,如买个新灯泡。而在你快迟到时开车送你一程则是爸爸该做的事。
- 你认为家里家务活分配公平吗?
- 你觉得哪些家务活应该换个人做?
- 你有没有想过换一换别的活做?你认为别人会愿意跟你换吗?还是只能偶尔换一回?

- 你每周有多少零花钱?每个月又有多少?
- 这些钱是哪来的?是打工,零用钱,做家务的奖励,还是别人替你开的账户?

- 有谁会嫌自己钱太多呢？当然没有。那你对自己得到的钱基本满意吗？
- 其他家人对自己所得的钱基本满意吗？
- 你与金钱的关系和你家其他人与金钱的关系相比如何？比如你们都很满意，或者大家都刚好够用，或者你觉得其他人有很多钱而你却没多少。
- 你觉得你父母有能力给你更多钱吗？你认为他们为什么不给你更多的钱呢？是他们为将来着想？他们对你花钱不满意？他们想把钱留着自己用而不愿与你分享？他们以为自己没多少钱，而事实上他们拥有的比他们自认为的多？或是因为其他原因？

做完这些事情，停下来问问自己感觉如何。你是否感觉家里在有些事情的安排上有失公平？你是否发现有的事令你不快许久了？你是否想做些什么来改变现状呢？大多数人对自己的生活都有正面和负面的感受，不管他们是和同屋、情人、配偶、孩子、其他亲戚一起住，还是一个人住。你的这些感想是怎样慢慢堆积起来的？尽量注意到你的每个感受和想法，你甚至可以及时把想法写在纸条上。有些人老记不住事物好的方面，有些人则相反。写下你认为家中存在的好的、坏的或二者兼有的事情，能帮你清楚地认识你对自家的真实感受以及家里的真实情况。

弄清了自己的感受,再看以下四个方面的问题:规定、惩罚、家务和金钱,然后问问自己每一项中最想改变的是什么。你可以拿不同颜色的笔把最意想不到的圈起来。可能你并不想真的改变什么,你只是想安排得更好以便能做得更好。若是这样,接着写下你不喜欢现状的理由以及你认为应如何改变,如:"我不介意每晚洗盘子。可爸爸本该在饭前摆好桌子的,他却从来不做。因为他老不在家,所以妈妈就总叫我替他做。我希望爸爸能做到他应该做的。至少我不想替他干活。"你可以写下诸如此类的话,或者写下一两个词概括。

现在看看你最想改变的事情。这些事改变的可能性有多大?对你有多重要?以下是对家庭不同类型规定的看法,可能对你思考自己的情况会有帮助。

每个家庭都是建立在某些独特规则上的。事实上,每一种关系都如此。这些规则可能是公开的:"如果你无法按时赴约,或者无法及时回家吃晚饭,请提前打个电话",也可能是潜在的:"詹妮已经打过三次电话给我了,现在该我打给她了"或是"我把围巾借给妈妈,她算欠我一个人情吧"。规则本身对人们来说都不是问题,因为即使痛恨受约束、被使唤的人,也承认对自己或他人在一些事情上有所期望,哪怕只是些小事。比如你父亲可能期望你能直呼其名,或叫"老爸"而不像过去那样称"父亲"或"先生"。

所以问题不在于规则的存在,而在于人们无法对哪些规则是公平的,甚至哪些是存在的达成共识。如果你不能按时回家吃晚饭,你就得先打个电话回家;可你妈妈很晚回家却不用事先打电话。所以,这个规则是每个人都必须遵守还是只有你得遵守就模糊不清了。如果爸爸说你可以不去倒垃圾,可你要真不做他又伤心,一整天生你的气,那你就会弄不清是不是必须得倒垃圾了。

有时还存在这样的问题:你父母认为是公平的一系列规则在你看来则不然。此类问题最容易解决的是纯粹体力活的分配。如果你负责洗碗,爸爸负责倒垃圾,那么两人要交换是很容易的,也可以两人一起做,或者采取其他法子。

最难解决的是那些反映个人价值观的东西。这类规定通常都是潜在的。如果他们认为"好"孩子应该和家人一起吃晚饭,或者认为全家不能一起吃晚饭的家庭注定是不幸福的,那么要你父母同意你不回家吃饭就相当困难。

所以,如果你对家里的某个规定或者家务活的分配不满意,首先得弄清楚为什么家里会有这样的规定。它是不是从你们小的时候就有的,比如"不准在卧室吃饭"?弄清楚原因就好办了,只要让他们意识到你已不再是小孩子,吃饭时不会再掉得到处都是就行了。

有些规定的存在是因为你父母怕自己不是严格意义上的"好父母",比如严格的宵禁。他们可能认为有责任让你晚上都在家里学习、和家人在一起。若是这样,你要他们改变主意就得用点不同的办法。直接争辩,如"这是个愚蠢的规定,一点都没道理",起不了太大作用,因为这样说没触及这个规定产生的情感因素。同样的,说"如果允许我在晚上玩,你们就不是好父母?我敢打赌这个想法是错误的"也无济于事。没有人会喜欢被别人指出自己持有某种想法的缘由。在这种情况下,你说的越正确,他们就越不高兴。

不过你可以通过行动让父母消除他们的担忧,这样就触及了情感因素,即使你没有直接说出来。如果你明白父母的心思,知道他们对你严格宵禁是因为他们相信好父母总要确定孩子做了作业,总要对孩子的去向了如指掌,那么你可以说:"爸,我今晚真的想去艾伦家。她父母都在家,我们打算在她家坐会儿,聊聊天,听听音乐。我今天在学校已经做完历史作业了。没错,我是得准备考试,但我已计划好周末腾出时间来复习,所以今晚没什么其他任务了。10点我会准时回来的。如果需要,我会在离开他家前先打个电话,这样你们就知道我大概什么时候到家。"

这样的做法能让父母知道你懂得他们的担忧,至少还尊重他们。他们也会知道你去哪里,做些什么事情。告诉他们你要做什么能减少他们对你的担心;告诉他们你做作业的计划让他们明白你对功课也是在乎的,而且你把握得很好;告诉他们你可以在离开前先打个电话就表明你尊重他们对你人身安全的担忧。你不一定非得同意你父母在作业、安全或你私人活动上的观点,但是通过行动让他们清楚,其实你是明白他们想法的,这样就比较可能让他们改变原先规定。

值得注意的是,仅凭这一席话不能立竿见影,不要指望能直接取消宵禁。你毕竟只是要求出去一个晚上。如果你守信用,那么你父母会发现他们让你出去玩无损于父母的颜面,你下次就可以如法炮制了。你可能会发现宵禁在不知不觉中就取消了。慢慢地,旧规则,如"不准在周一至周五晚上交际",被新规则,如"如果你交待你的去向以及回来时间,就允许你出门"取代了。而你父母可能误以为还是按老规矩在办事呢,或者承认他们改变看法了。不管怎样,你至少扭转了局面。

除了要明白父母所想，触及这些情感外，下面的建议也值得一试：

给你父母尽可能多的信息。告诉他们你要做什么，和谁一起做，什么时候回家，为什么要这样而不那样，你怎么知道这样做没问题，以及任何你能想到的细节。你父母可能就会发现这些信息很让他们放心，这样你们就都能如愿以偿。

在要求改变一项重大规定之前必须一整个月都对父母特别有礼貌。有礼貌就意味着准备着迁就，而不是满怀刻薄和怨恨。除做好你分内的活，每周再多做一两件家务。若父母帮你做了什么事，记得说谢谢。尽量不要做无谓的争吵。很可能你父母或家里其他人对你的意外之举会有讽刺之意，告诉他们"我想改变我们的相处方式"，"我很遗憾你这么认为"。这种礼貌之举可能不会拉近你和父母之间的距离，但至少可能导致一个冷却期，让你和父母有机会换一种方式相待。如果你讨厌那种老是毕恭毕敬的感觉，你随时都可以停下来，但这个方法确实值得一试，至少可试几周看看效果。然后让父母听听你的心声。先要求他们不要一口回绝，然后说出你的请求。结果你可能如愿以偿，也可能没有，也可能得到你可以接受的折中解决办法。

记住,没有人总是对或总是错的,包括你和你父母。如果你觉得和他们总是意见不合,即使你认为错在他们,也尽量尝试着往他们的意见靠拢吧。避免小吵闹,省下力气打大"战役",解决那些你要有所妥协才能避免的棘手问题。不与父母讨论你的信仰和价值观可能让你有空间和机会形成自己的信仰和价值观。在这类问题上,你可以告诉他们"你们可能是对的,我会想想你们说的话"。可能你父母想要的也只是知道他们的意见对你来说仍很重要这一满足感。

对你而言,要相信你本不相信的事情或要你假装同意父母的观点确实很难,这纯属正常。与你在乎的人意见相左本是件痛苦的事。在你看来重要的事对他们来说并非同等重要,甚至不受他们尊重,这也是很令人难受的。同样的,你父母的一些规定,尽管对你来说可能很可笑或根本没必要,但却是他们维持自己情感的方法。比如,他们说:"晚上我们都要等你回来了才睡得着。"你可能认为他们这样说没道理,毕竟你真没什么好让他们担心的,但是他们不合理的担心应该得到尊重,就像你的不理性的情感也要得到尊重一样。

理想的做法是父母和孩子都想办法宽容彼此的情感,不管是"有道理"还是"没道理"。即便你觉得父母不体谅你,你也要尽量尊重他们。虽然你仍旧不喜欢诸如严格的宵禁等不合理的规定,但这让你觉得更独立于父母,同时你对无法改变的事也就不那么生气和沮丧。

值得注意的是,所有这些并非要你否认自己来迎合你父母。如果你父母坚持要你吃肉,而你已决定做个素食者,你就无需为了家庭和谐而做出牺牲。任何关系健康的话题都不免有冲突和不协调因素。应该想办法解决问题,而不是让你父母一开口就惹你不高兴。

以下方法能让你和父母相处得更愉快,即便是在任何事情上你们几乎都有分歧:

- 找出令他们引以为自豪的事情来恭维他们。
- 记得每周花两小时和他们一起做你们都喜欢的事情,即使只是看看电视,在广告时间聊聊天。
- 适时问问他们的意见,比如出门时让他们帮你挑选外套,或者问他们走哪条路离你的目的地较近。这样你就不会总显得不遵从他们的建议。
- 想些你做得到并且能让他们的生活更轻松的事,然后着手做。
- 弄清楚家里的气氛,看是否合适提出要求。

以下办法在你们意见不合时不妨一试:

- 要记住分歧有两种：一种是你父母对你的决定产生的后果有干涉权，另一种则不然。比如，他们可以因为你违反了宵禁而不让你和朋友出去玩，却不会因为你选择了他们不喜欢的职业而不让你就业。

- 如果一个问题不需要马上解决，不妨提醒一下双方"我们可以下次再谈这个问题"。想个办法抽身或暂时冷静下来，而不要陷入注定毫无结果的争论中。

- 记住不要马上按你自己的决定去做。在气头上做决定总不合时宜，即使第二天你冷静下来后还是做同样的决定。你可能会庆幸你当时没做决定，因为这样你就知道自己不是出于和父母赌气。

- 永远都不要因为和父母赌气而做你本不想做的事情。用伤害自己来激怒父母总是不好的，不管他们再怎么不对。别因为他们不允许而故意去做，要做你真正想做的事情，不然你还是受他们控制，而到头来吃亏的还是你自己。

- 学会反思自己的行为。你有办法辨别自己是否真的生气、沮丧或思路不清吗？你有没有在那样的情绪下做过让你第二天就后悔的事情？有些信号可提醒自己情绪不佳了：摔门、觉得陷入困境、胃疼。当你注意到这些"危险信号"时问问自己：如果我明天再做,事情会有转机吗?

索特博士指出,"要注意到自己的情绪并不容易,但一旦你有意识地去做,就会变得越来越容易了。"她建议:"抽出时间来看看你的反应:父母生气时你通常会怎么做;你考试不及格他们是什么反应;你高兴的时候他们通常又是怎样表现。"你越是能这样审视自己,你解决问题的方法就越有效。她还认为,自制力越强,你就越可能做出合适的决定。

照顾好自己

因为种种原因,你可能生活在多个家庭里。你要确保在每个家里都有自己的私人空间,哪怕只是一个小桌子或一个抽屉。如果你能在每个地方都放点特别的东西,就越容易在这些地方找到家的感觉。

如果你是和异性家长或成年人单独居住,就特别要保证有自己的床、自己的房间和用来换衣服和做个人卫生的私人空间。你还要确定你与同性的成年人有联系,你可以找一个成年亲戚、老师、咨询人员或让你感觉舒服的朋友。这样你可以和他谈论不大适合同异性父母谈论的事情。

不管怎样,保证自己对你们的相处感到满意。有时父母会想从孩子身上得到应该从另一成年人身上得到的温暖和关爱。有时温柔和关爱会无意地隐含性暗示。但是,不管有意、无意,你都可能感觉不安。所以要确保自己与之保持适当距离,确保有人倾听你的感受。父母所做的事情令你感觉不舒服并不意味着你背叛他们。你只是在照顾自己,而随着你慢慢长大成人,这正是你的责任所在。

同样,如果你觉得父母让你有太多情感上的包袱,就要想办法让他们知道,你还只是孩子,还没准备好承担家中成年人的责任。单亲家庭可能更易于让孩子取代所缺父母的地位。

你可能在家中也承担经济上的责任。但是,在你高中毕业之前你并不能承担成年人的责任,要你承担这样的责任也是没有理由的。如果你发现自己过多地为钱担忧或对未付的账单感到有压力,就该让父母知道你的压力。或者找个合适的人谈谈,让他帮你理清你该承担的责任。总之,父母应该照顾你,而不是你照顾他们,而寻求帮助也不意味着你背叛父母。

单亲家庭和有继父母家庭的日常生活

日常生活规则可能随着时间的变化而发生巨大

变化，随着家庭成员的改变以及各人年龄增长，旧习惯变得不切实际，新习惯显得有必要。单亲家庭或有继父母家庭的孩子可能会觉得自己生活在新规则中，或者同时受一连串规则的束缚。

处理日常生活事务的变化很难，尤其是那些并非自己选择的变化。在父母离婚或者家庭结构发生其他变化时，失去一个熟悉的家庭模式时，理想的做法是拓宽思维，接受家庭新成员。但即使你能接受继父母、继兄弟姐妹，你依然要寻求与这些人共同生活的方式！

在这些情况下就特别需要弄清楚家中的规定。如果你感觉到自己生活在"别人家里"，也就是这个家中已经存在的一系列规则和习惯对你或你父母都是陌生的，那么首先你就要集中精力找出究竟存在什么新规则。当然，那些潜在的规则是最难发现的，因为家人都将它们的存在视为理所当然，没有人会去谈论，除非你偶然违反了其中某个规则，无意中引起了愤怒或伤了感情。相反，如果你发现自己不准在晚会上和大人一起用餐，而你以前"在家"时是准许的；而后又发现你一整个星期都盼望着的电视节目被大人们喜欢的连续剧所代替，你的情感也确实受到了伤害。

这种情况下你能做的便是集中精力不加评判地找出这些明显的和潜在的习惯。若你感到自己对这些新习惯有所不适应，提醒自己稍后再作定夺。但你首先必须遵守这些规定，这样能帮助你调节失落感和伤感。这两种情感开始时可能使你觉得任何改变都是不好的，而原因仅仅是情况和以前不同了。你要明白到底是什么起了变化后才能决定你是否喜欢它们。

集中精力找出那些习惯也能给你更好地了解家庭成员的机会。你会对细微的事敏感起来，比如你发现，继母每天上班前都十分紧张，所以规则便是"早上不要和她交谈"；而你的继姐妹不介意别人借她的短袜，但讨厌共享她的毛衣。当然，你一旦找出这些没有挑明的习惯，便能选择不服从或者尝试着改变。至少你找出来了，而且没被这些变化压垮。

一旦你找出了新家庭成员的习惯，就可以利用前面提到的交际技巧与他们商量，使规则更公平、更清晰、更易于你适应。同样，如果其他成员融入你的家庭，或者你和继亲戚一起组建新家庭，你可以在努力维护自己需求的同时关注他人的需要。有时分步骤做事情效果更好，比如首先想着"现在我要寻找关于某某人感受的信息"，接着想"现在我要注重自己的感受了"，最后想"现在我要决定怎么做"。总之，不管你的决定如何,要确保为自己的个人感受留下空间。

在选择对你最有利的行动之前了解你自己的感受是必要的。那样你就能选择令你自己真正满意的行动,而不只是出于冲动。综合考虑你们的感受并对情况作一个现实的评估,这样大家的生活都会变得顺利如意了。

5
与父母交流

20世纪80年代中,电影《铁窗喋血》让一句台词在美国流行开来,那就是:我们现在根本无法交流。

你和家人是不是也"根本无法交流"?是不是觉得爸爸妈妈不理解你,甚至不听你说话?是不是也觉得不理解爸爸妈妈或者干脆不愿意听他们的了?

你所说的话能让对方听懂你的意思,并且你也听得出对方意思,这才是好的交流。交流可不光只是听,还要听明白话里的含义。有时你得把心里头一些假设啊,担心啊,指望啊,统统抛于脑后。

你和爸爸妈妈有过下面的交流吗?

你:下周末把汽车借我一下好不好?(美国有很多高中生会开汽车。)

爸(妈):到时候再说。没准星期六我要用呢!你要去哪?

你从他(她)的话中"听"到的是:我的事情比你重要。没准我自己要用车呢,为什么得让你用?再说了,我又不相信你。你要去哪?也许我根本就不同意你去那个地方呢!所以我不大可能给你车子或别的你要用的东西。

你:晚饭已经做好了,桌子也摆好了。

爸(妈):做得好!你总是家里的好帮手。

你从他(她)的话中"听"到的是:我希望你一直帮我做事情,只有这一次还远远不够。以后要帮忙时可别开溜。你在家里的角色就是做一个好帮手,仅此而已。

你:我去睡觉了。

爸(妈):天啊,都过12点了!我想听听你这么晚回来是到哪儿去了?

你从他(她)的话中"听"到的是:这么晚回来,我根本不相信你。我希望你交代清楚,好让我调查一下。我敢肯定你没做什么好事。

看到了吧,每个交流总有两部分组成:说和听。上面三个例子中父母的言下之意可能是孩子们所理解的那样,但是有没有其他可能性呢?我们试着来分析看看。

你:周末把汽车借给我一下好吗?

爸(妈):到时候再说吧。没准星期六我自己要用呢?你要去哪儿呀?

你爸(妈)想要传达的意思是:我希望我能每次都说好,但是我也有自己的事情。让我知道你的计划对你有多重要,这样我好统筹安排。

你:晚饭做好了,桌子也摆好了。

爸(妈):太好了,你总是家里的好帮手。

你爸(妈)想要传达的意思是:你刚才做得太棒了,这点我想让你知道。当然了,不管你做不做家务活,我都爱你,都喜欢你。

你:我去睡觉了。

爸(妈):天啊,都过12点了!我想听听你这么晚回来是到哪儿去了?

你爸(妈)想要传达的意思是:我关心你,所以你这么晚还在外面我有点担心。下次一定要保证不让我担心,我才会继续相信你。

交流是件很复杂的事情。从一个人口中说出的"我爱你"听起来有可能是侮辱,而从另一个人口中说出的"你真笨"听起来有可能是世界上最充满关爱的语言。当你处于听话者角色时,你要怎样把握对方要表达的真正意思呢?

有时候情况是显而易见的。如果你爸爸叫嚷着和你说话,他很可能是生气了。如果你看到妈妈用手指头敲桌子并咬着嘴唇,她很可能是感到紧张。

但是即使在这些情况下,爸妈要传达的意思也有可能不只是表面看来的那样。想想看,你爸爸生气是因为担心自己,还是担心你,或者他是因自己不是个好爸爸而感到沮丧呢?你要求他多给零花钱,他突然很生气,那他是在说你花钱大手大脚,不体谅父母,还是因自己没能给你更多钱而感到伤心呢?同样,你请求妈妈让你在外面的时间长一点,她似乎很紧张,那是因为她不信任你,还是因为她意识到你已可以单独出门而忍不住黯然神伤呢?

你不难看出,自己的情感、愿望和设想在你倾听他人的表达中起着很重要的干扰作用。如果你肯定你爸妈不信任你,那么你听到的都会令你缺乏信任感。如果你肯定你爸爸不会借车给你或者不想多给你零花钱,他所说的话听起来都会像你预期的一样。

关于倾听的另一个有趣的方面是听的方式实际上会影响说话人。假设你爸爸或你妈妈对你说:"我们看看吧。你想要去哪儿?"如果你听到的是"我不信任你"或者"你以为我关心你,就得把车借给你吗",那么你会怎么回答他/她呢?也许你会说:

"你不关心我,对吧?"

"你从来都不肯把车借给我。"

"你从来不让我做我想做的事情。"

"我没必要告诉你我要去哪儿。"

"你为什么总是在调查我的行踪呢?"

"你能不能就说'可以'啊?"

你认为父母对以上的回答会做出什么反应呢?这样的讨论有可能让你借到汽车吗?就算借到了,你心里会有什么感想,你父母又会是什么感受?类似这样的谈话最终很可能让父母生气,因为你不相信他们,而你也比任何时候更加确定他们也不相信你。

相反的,如果你觉得你父母的意思是:我信任你,但是我有我自己的担心和顾虑。告诉我你要去哪里,好让我知道你很安全,很开心。这样理解他们的话,你的反应就会很不一样。

"我和露丝要去商店。"

"我和乔和彼德要开车去玩,就是上个星期你见过的那两个。我们会很小心的。11点之前一定回来。"

"我有一个约会。现在还不知道去哪里。但是回来之前我会给车子加满油的。"

这些回答都是建立在你认为你父母会答应的基础上的。从这些回答可以看出你知道父母可能会有担忧。你在乎他们,你尊重他们的顾虑,虽然你知道没什么好担心的。假设你父母真的信任你并答应你的要求,那么这些回答实际上会增加这种可能性。

关于"期望"的事情很有趣。人们倾向于做我们期望他们做的事情。如果你预料父母会说"不"或者会对你生气,那么你听到的就会和你料想的一样。接着你的回答就不会是针对父母的,而是你原先认为他们会说的话。按照你的"期望"来回答问题,实际上能让那些预料变为现实。如果你爸妈感觉到,你预料他们会说"不",他们也许就决定对你说"不"。如果他们觉得你真的希望他们信任你,关心你,期望他们尽可能答应你,他们也许就真的会满足你。

要是你站在对方的立场,你就能体会这种方法有多奏效了。你是否曾带着一份好心情回家,却发现你的家人让你感到不高兴?若家人惊讶地对你说"咦,今天下午心情很不错嘛",此时你的好心情定会一扫而光。相反的,如果有人满脸笑容地跑过来对你说:我有好消息告诉你。你还没听到消息就已经笑开了,立刻兴奋起来。

当然,倾听只是谈话的一部分,如果你父母向你表达的是"生气"、"不信任"和"不行"的信息,你也不得不尊重他们的反应和决定。但是,当你断定是不是又发生了同样的事情之前,问问自己,你是在听他们说话还是在听自己的话。也许你的发现会让你自己感到惊讶呢。

问问自己以下几个问题,帮助自己更好地倾听:

1. 在这次交流中,我是不是以最消极的态度去听别人说话了? 可不可以改用积极一点的方式?
2. 我是不是以自己的想法去解释正在发生的事? 例如,我知道父母在生气,我知道他们为什么生气吗? 假如他们很紧张,我懂得怎样让他们不紧张吗?
3. 我是不是在开始谈话之前就放弃愉快谈话的机会了?
4. 我是不是让我的"期望"阻碍我正确地理解别人说的话? 我的"先入为主"惹的祸。
5. 我怎样帮助说话者清楚他自己在说什么?

那么交流的另外一部分是什么呢? 你怎样让父母以及家里的其他人都清楚你在说什么?

当然,有时候你会觉得你不想让他们明白你所说的话。其实每个人都想保留一些自己的想法和感受。有时,我们有这样的想法是爸妈的原因,可我们还自以为是自己"发明"的。不管哪种方式都会阻碍我们坦诚地交流。看看以下这些想法对你来说是不是很熟悉？

如果我真的告诉对方我有多生气，他/她会没办法接受。他/她会因受到伤害而受煎熬。如果你觉得你生气时爆发出来的威力会深深地伤害他人，甚至摧毁一个人，那将是很可怕的感觉。如果你真的有那种威力的话，那么你最好想尽一切办法压制住自己的怒火。问题是，你压制住自己的怒火的同时也抑制住了很多其他情感，而没有给别人一个回应你的机会。但如果你找到一种积极意义的发泄情绪的方法，你其实也把握住了自己内心深处的其他情感。你肯定会发现生气不会伤害一个人，即使那个人特别不喜欢看你生气。

如果我说出我的想法，他/她会感觉很糟糕。害怕你的种种情感，如悲伤、愤怒、和新的朋友约会带来的兴奋、渴望更独立，会伤害到别人，于是你往往就会隐藏这些情感。如果你害怕坦诚的交流会给你在乎的人带来伤害，你最好不要坦诚。有时候不坦诚反而更好。"那种新发型不是我所喜欢的"会比"我讨厌那种发型"说得更恰当。但如果你觉得你隐藏了对你来说很重要的东西，你就要考虑如果你将这些情感带给别人会有什么后果。也许真有人会感觉很糟糕。只有你自己才能权衡发泄与隐藏的轻重。

我感觉糟透了,这都是你的错。因为自己的感受而去责备别人很容易阻碍你们之间的真诚沟通。如果你用这种态度来开始谈话,就更没机会让别人倾听你、理解你。以责备的态度同别人交谈,你可以肯定别人不会听你说话,除非你觉得他/她是错的。因为他/她会忙着为自己辩护,这样你们之间的交流就会是徒劳的。

一个人要是真爱你,你根本无须告诉他/她发生了什么事。他/她自然懂得的。如果另一个人很在乎你的话,他/她就能读懂你的心思,这种看法在很多人的头脑里已经根深蒂固。你还是婴儿时你父母就不能不懂你的心思。也许这种看法就是那时候产生的。婴儿不会说出自己需要什么,所以父母必须猜测。但是小孩子需要的无非是食物、衣服、抱抱等简单的东西。成年人就复杂得多。有时候你或许会为父母再也读不懂你的心思而感到高兴。有时你又想他们理应知道你不和他们说话是因为你在为考试担心或因朋友的拒绝而伤感。你可能希望他们就是知道你为什么不高兴。你要是还得用言语把自己的不高兴表达出来,这样他们才会知道你不高兴了,那么你就会更加恼火。

上个星期我试着和爸妈交谈,但是无济于事,我

为什么要自找麻烦呢? 我们倾向于认为事情总是会按原来的模式发展。如果别人拒绝我们一次,他很可能会永远拒绝我们;如果这个人经常发脾气,经常问一些令人难堪的问题,或者坚持一些不合理的原则,我们也预料这个人的行为永远不会改变。

在某些情况下,这是事实。有些人不管周遭的人怎么做都不会改变自己的行为方式。但是,有时候,如果你改变自己的行为,你父母的行为也会随之改变。如果你能够坦率、诚实地和他们交流,你会发现他们对你的态度也会不同。但这种改变并非一夜之间就能发生。你父母自己或许也相信人不大会改变,甚至可能意识不到你确实是变了。其实作为青少年,你可能也有同感。即使父母的做法并没有巨大变化,你也会发现如果你自己尝试着改变,就能与家人更好地相处。并且你会发现与家人敞开心扉交流,不管对方反应如何,你感觉都很好。

我真的不知道自己感觉如何,有人问我时我大脑一片空白。 抱有这样的信念,你就会觉得诚心交流是不可能的。连自己都不知道自己的感觉,怎么可能与人坦诚交流?

事实上,你或许把自己的感情掩藏起来,不与人分享。觉得自己大脑空白时,问问自己空白之下掩盖了什么想法,把这想法写到日记上或画下来,或与你信得过的外人谈谈,这样可能会有用。自己的想法一旦表达出来,你对自己的想法就越清楚,而后就可选择与家人交流哪些想法。

我就不是那种善于表达情感的人。我不太喜欢一直说话。人人确实都有各自的交流方式,有的人倾向于用言语,有的不是。但不管怎样,交流总是在进行的。沉默不语表示生气、冷漠、紧张、默许或其他情感,你自己没有意识到罢了。所以说,交流时你不管用什么方式都要认真,这点很重要。

反正没人会听我讲的。确实,单靠与家人交流思想感情毕竟是有限的。但如果以为自己对事情完全不会有影响,这只会把你和别人封闭起来。误以为没人会听你诉说就会完全剥夺他人倾听的权利,你就不必为争取心中所想而感到有负担。有时相信没人会倾听比试着让他们去听要容易,不过试一试也未尝不可。

老谈论自己太自私了。我想听听他人的想法。能听别人讲,考虑别人的想法,是一种能力。但一个"无私"的人把自己的想法、感情都掩藏起来无异于夺走了对方的权利。不愿说出真实想法的人等于剥夺了对方真正了解自己、接近自己的机会。

为何什么都要谈呢？不管发生什么事,我都能自己处理。自主也是种能力。相信自己能照顾自己的人,为人处世有信心,有激情,但每个人都有需要帮助、支持的时候,都需要倾诉自己的想法感受。不与人诚心相谈就没人能走进你的生活。

与家人开诚布公的交流会让人担心,特别是发现家里其他人不愿开诚布公时。你可能担心自己的想法、意见、愿望为他人所知的后果。你也许能预见到这类交流有何不同结果。以下是对坦诚交流的担忧及这类交流可能产生的结果:

担忧:

· 我会因为自己的意见而受指责。

· 一旦大家知道我的真实想法,就不会再喜欢我了。

· 大家发现我的想法后会抛弃我。

· 妈妈、爸爸或家里其他人若知道我的想法会听之任之。

· 没人理解我的想法。

· 如果我让大家感到不舒服,我自己也会难过。

· 人们会发现我并非他们所想的那样。

· 爸爸妈妈或家里其他人总是想让我说出心里话。一旦我说出来,就会落入圈套。我总是在考虑错了怎么办,中途要改变想法怎么办?

可能性:

- 我的家人能找到解决问题的新办法。
- 我们可能走得更近了。
- 我或许真的可以澄清一直困扰着我和他人的一些误会。
- 我真想了解父母或其他家人的感受。
- 如果说出我的心里话后没有不愉快的事发生,那么我也会更容易接受自己。
- 也许这次新的经历会让我长大一点。
- 如果这种交流能让我们更好地相互了解,我会带给家里人更多东西,他们也会给我更多。
- 说出自己的想法和感受让我心里踏实,而不会觉得自己像个骗子。
- 说出我所想或许会让我更加坚强。别人可能也有同感。
- 这种作法有利于关系的发展。

上述罗列种种好处值得尝试吗?每个家庭都不尽相同,只有你能决定在家中采取哪种方式有效。坦诚相待不等于知无不言,也不等于指望双方永无分歧或争执。它真正的含义应是:仔细推敲,尽量将信息传达到位。

比如,你要去参加学校舞会,想让父母同意你晚回来两个小时。可你父母对你晚归不放心。你可能确实觉得此类担忧毫无根据。其实你抱有这种想法也不无道理。事实上,让父母知道你已经听懂他们的话,将更有利于达到预期的交流效果。事实上你根本不用说出自己的意见:

父母:天哪!你想在外面待到什么时候啊?
你:我知道我很晚回来会让你们担心。
父母:你最好真是这么想的。你怎么回事?
你:我知道你们担心我的安全。但我是这么考虑的:我会和丽塔、凯尔、特里在一起,他们都很可靠。我保证不喝酒。如果你们还不放心,我会在回家前打个电话让你们知道我什么时候到家。

你可能确实觉得以上对父母的交待都没必要。毕竟,你知道自己是信得过的。但是,你要与父母以诚相待,就要让他们知道你考虑到了他们的担忧。把当晚的计划交待清楚,就等于告诉他们你是听话的,同时避免了顶撞或责怪父母:"其他人都出去玩了,他们的父母可不像你们这样顽固。你们从来就不相信我,你们根本不在乎我,对不对?"不与父母发生冲突,你就等于给了他们说"可以"的空间,而没有让他们处于要么拒绝要么丢面子的尴尬处境。而且,如果你守信用,你就会给父母留下诚实的印象。

当然,上面这些都不能保证父母会答应你的要求。但几乎可以肯定的是大吵大闹、争论不休、互相指责或一味抱怨绝对达不到想要的结果。

以下其他建议同样能达到开诚布公的交流效果:

避免使用"从不"和"总是"此类字眼。人们听到这样的话总感觉受束缚。毫无疑问,"你从不听我说"或"你总是问这种愚蠢的问题"之类的话容易引起争吵。他们会更喜欢你这样说:"你们有时不听我解释,""有时我觉得我的话你们不理解。我要怎样确保你们理解了呢?"这样的话更能奏效。

对事不对人。就像前面给出的例子一样,承认问题的存在会给双方解决问题的空间。一句"我们要如何保证相互倾听"会让他们反问自己是否有认真听你说话。相反,指责他们从不听你的话,会让他们一下子感到自己受到侮辱。

说话说到点子上。没有比在说洗碗的事情时听到"上星期二你为什么不到学校接我呢"更没劲的事了。不管讨论、辩论,还是争吵,目的都是要解决问题。扯上无关话题是没有用的。提起上星期的事不但不利于解决问题,还会勾起对方的伤心事。

不要侮辱对方。诸如"只有傻瓜才会做这种事","你这么想一定是疯了"的话不利于公开、坦诚的交流,只会导致更多侮辱和中伤。有时候,人们感到无能为力,就会想去伤害别人以证明自己还有影响力。如果你认为上述观点是正确的,就请暂时回避争论。你可以说你要上洗手间,然后深吸一口气,数到十,或找个其他理由离开一会儿。记住,惹爸妈生气只会给他们更多让你生气的空间,或者让他们放弃谈话去为自己辩解。如果你和侮辱你的人争吵,你就变得和他一样没有涵养。问问自己这样做有用吗?说话要说到点子上!

保证你正确理解对方,并让他明白你真的理解了。做到这一点的一个有效办法就是重述对方的观点,但要确保你真正在重述他的观点,而不是趁机攻击他。试比较以下两种不同说法:

"你是说,你担心不管我穿旱冰鞋外出再怎么小心,如果遇到那些周末晚上酒后驾车的人,我也避免不了车祸?"

"你是说,虽然我已经有了穿旱冰鞋去街上买东西的经历了,但路上酒后驾车的人多,我可能没有能力保证自己不出事,对吧?"

哪种说法更能让对方觉得你明白他/她的立

场呢?

和其他事情一样,家庭成员间公开、坦诚的交流也需要一个过程。你可能要花相当长的一段时间学会用新的方式和家人交流,他们同样也需要花时间去习惯。两三个星期以来,你可能发现这样会让你和父母的关系更加亲密,但是你们时而又会像往常一样不可控制地争吵起来,时而又恢复到原先死一般的沉寂中了。不过不要着急。人们在习惯一种新方式的过程中总是在新旧方式之间反复的。最重要的是,你采用了新举措,它至少使你感觉良好,而最理想的结果就是改善了家庭成员间的关系。

6

假如你……

众所周知，家家各异，每个家庭都有自己的故事。但是，有时你会觉得，你的故事比别人的沉重许多。如果，你成长在一个离异或单亲的家庭，或者你的父母亲是你的养父母，或者你正身处父母有病或新近亡故的焦虑和悲痛中，你只觉得自家的境遇似乎特别艰辛和困难。也许你并不认识那些与你处境相同的人，也许你认为那些看似与你遭遇相同的人不会对你的困境有所帮助。

十几岁的少年常觉得自己"与众不同"、"独一无二"。这样的认识源于现实。在现实中，你确是个独一无二的个体，这世上没有人同你是一模一样的，即使是你的孪生兄弟姐妹。你带着特有的品质来到这个世界，也将独自面临特殊的挑战。

可是，现实的"与众不同"感并没有你所体验的那般真切。十几岁是对人生探询和发现的阶段。这时,你发现自我,一个你从未认识到的自我;这时,你察觉到自己和自己家庭的一些潜在的品质,一些与其他人、其他家庭不一样的东西,而以前这些总被你认为是理所当然的。你的发现让你觉得自己比现实中的更加不一般,或更加孤单。可即使这世界上没有人同你一模一样,但至少有人和你相似;即使没有人拥有与你绝对相同的经历,但至少有些人的经历使他们能理解你的情感体验。当然,在这世界上有人与你迥然不同,过着另一种生活。即使这样,他们仍会爱你,仍会对独特的你敞开心胸。

阅读这个章节,得记住两点:你的品质和独有经历是"你之所以是你"的原因;而你与他人共有的特点和体验则使你成为这世界上人类大家庭的一员。当你身处自己"独特"的情境时,所面临的挑战是,学会时时从他人身上寻求你需要的支持与友爱,而不是自我否认和封闭。

给正在经历父母分居或离异大战的孩子们

对于大多数孩子而言,父母离异之前的那段日子是最难熬的。即使父母终日吵架,双方都极其痛苦,大大地疏远对方,甚至疏远你,可你内心某个角落仍期待他们复合。面对吵架和谩骂,你会对自己说:"只要他俩不离婚,他们做什么我都不在乎。"面对父亲或母亲的离开或是情感上的疏离,你会自我安慰,"我可能无法经常和爸爸说话了,但不管怎样,他仍是我爸就行。"父母最终宣布离异对你而言确实是个极其沉重的打击。

许多孩子难以接受父母离婚的决定。那段日子中孩子的挣扎和痛苦可以从他们以下情感体验中看出:

期待。即使父母已表明无望再生活在一起,可你仍希望这不是真的。你也许想:"他们不是认真的,一切都会过去。"你为父母挑个日子或有着特殊意义的场合,相信那时一切都会好转:"爸爸也许会在妈妈生日时改变主意。""妈妈看到我们一起度过圣诞节的美好情景,她就不会想离开了。"即使父母中已有一人离开,你仍希望他/她会回心转意,仍相信会有个奇妙的前景让他们重新走到一起。

恐惧感。一旦父母的离异已无法避免,你便会开始想像可能产生的后果。家里的钱以后会够用吗?爸爸妈妈将来会很不快乐吗?会不会两人都很痛苦?你是否要承担起家庭的负担了,成为"家里的男子汉"或扮演起母亲的角色?你是否得搬家?你的朋友会怎么看待?你甚至忧虑你将来会是什么样。爸妈婚姻的失败是否意味着爱和婚姻都无法避免地要走入死胡同?而你是否注定要生长在一个破碎的家庭中?你还能相信将来会有人陪伴你,不会像你父亲或母亲那样离你而去吗?也许你意识到心中的这些恐惧,也许你只是感到惊慌失措,茫然未定。未来究竟会是什么样子?

埋怨。有的人面对困境会怨天尤人。所以很自然的,你会生父母的气,因为你无力改变他们的决定;可他们的决定却极大程度上影响你的生活。遇到这样的情况,人的愤怒就变为指责,开始分析导致父母离异的事件和他们自身的个性因素。"若爸爸不那么懒,若他能多赚些钱,他们就不会变成今天这个样子了。""如果妈妈问话温柔些、耐心些,对爸爸好一些,他们现在还会在一起。"总之,你发现你会埋怨爸爸妈妈,不满家里的亲戚,责怪祖父母,甚至深深自责:"要是我跟他们多要零用钱就好了……","要是放学回家我总是一副兴高采烈的样子就好了……","我真不知道我做错了什么,反正这一切都是我的错……"

如释重负感。你也许一直渴盼父母能停止争吵,就像电视、小说中那样能重新爱上对方。可是他们宣告离婚了,而你也发现其实自己早已做好心理准备,接受了他们的婚姻不会自动好转的事实,甚至你听到他们的决定有如释重负之感。从今往后,你不用每天回家时总提心吊胆,想着今天家里是"阴云笼罩"还是"晴空万里",也不用发愁到哪里躲避家庭战争的喧嚣。父母离异带来的恐惧、愤怒、悲伤在心中交织,可同时也使你觉得如释重负,不再感到挫折、无助。一个全新、充满希望和未知的环境就在你的面前。

负罪感。若你确实对父母的离异有如释重负之感,或真的怨恨父母亲,你心中也许同时怀着一份负罪感。父母如此沮丧,你怎能高兴得起来?弟弟如此难过,你又怎能期盼着搬迁逃离困境?怎能在母亲万分痛苦之时还在抱怨她扰乱、破坏了你的生活?明知父亲还是深爱你的,你又怎能对他恨得起来?

所有这些反应,不管独立存在还是表现为所有情绪一起涌上心头,对于正面临父母离异的孩子来说,都是很自然的情绪体现。不同的家庭成员有以上不同的情绪反应。你也许是个"乖"孩子,善解人意,有助于化解危机,或者变得满腔愤恨,或者日益沉默不语,怯懦畏缩。家里每个人都经历复杂的感情变化,表现形式有所不同。有时你甚至相信自己已不再会愤怒,因为已经有人怒不可遏;或者你似乎已经在起着调解缓和作用了,可你又会问自己"调解又有什么用？"

这种情形下，首先，也是最关键的，是意识到自己的情绪状态。直面现实也许是痛苦，可越早面对父母离异的事实，明确自己的态度，你就能越早地理清这一切。现在隐藏起来的一些情绪、感受在其他时候还会来纠缠你。我们在困境中自然想逃，这也是我们应对伤痛的一种方式。但当你找到表达自己情感的途径，至少学会向自己宣泄情绪了，你会发现你即便讨厌这种处境，不同意父母的决定，也已准备好接受现实，并尽可能去适应。

另一种应对父母离异困扰的方法就是寻求援助。对于许多人来说，在自己觉得最不需要外界帮助时，恰恰从外界的帮助中获益最多。你也许羞于父母婚姻的失败，惭愧自己没能使这种境况好转起来。你也许感到没人能理解你的处境，或者大家都理解，但由于事不关己，没人能体会你为何如此沮丧？也可能你并不想让别人看到你伤心、愤怒、害怕的样子，或者你不相信有人真会关心你。

这些情绪都很自然，特别是处于情感危机中的时候。如果你能克服这些心理障碍，给别人一个帮助你的机会，你会发现自己能更好地面对困境中的一切。现在的你身处困境：父母有权做出影响你一生的决定,而你却对此决定无计可施。一旦你接受这酸涩的现实,你才能设法克服自己的不良情绪。你可向你父母、亲友寻求帮助,平抑心中的恐惧感,问问他们:我们得搬家吗?家里的经济状况会受到影响吗?我们何时能再见到爸爸/妈妈?你也可以寻求你渴望的情感支持。让父母知道你想找个时间单独和他们在一起;你想确认即便他们分开了,他们仍会照顾你,疼爱你。寻求家庭以外的帮助与支持对走出困境也是很有帮助的。从你信任的亲友、成年人那里寻求帮助,甚至形成一个支持你的小团队。他们会提醒你,你有你的生活,它并不完全受限于你的父母。

致父母已离异的孩子们

就像家家都有自己的幸福之处一样,每个家庭也都必须面临各自的挑战。父母离异的家庭可能面临的挑战如下:

- 监护权的变更
- 离婚导致的家庭财产状况的变化
- 父母双方亲戚之间的冲突
- 父亲/母亲或二者都开始新的恋情
- 父亲/母亲或二者各自再婚

- 在新的婚姻关系中,有来自父亲或母亲或双方各自的儿女,其监护权各不相同。

以上的每种情况与离婚本身多少都有些关系:每一情形都是由父母离异造成的,他们的决定对你的生活有着深远的影响,而对此你却无力改变。你无法使父母不离婚,也不可能决定他们不再有新的恋情,不会再婚,不会搬到其他城市或是奇迹般地开始同对方亲友和睦相处。

你所能做的就是明白在以上的每一种情形中你都能发挥一定影响,然后采取实际行动,发挥你的作用。

监护权问题。许多情况下,监护权问题是由父母决定的,很少考虑孩子的意见。工作和房产的问题决定了父母对居住问题的最终安排。在某些情况下,父母会对孩子的监护权有所争议甚至诉诸法律。如果你不满对监护权的安排,你可找寻一些现实的改变方法。即使你未能同你所选择的一方一起生活,你还是可以安排出更多的时间同她/他相处。你有可能说服父母改变监护权的安排,或至少采用其他方案。

若你无法影响监护方案或你满意目前的这个方案,那么除了对监护权的商讨外,你还有其他方式来影响、增进同父母的关系。你在与非监护人的父/母亲相处时，你们应更有意识地使相处的时间过得丰盈。你期望能成为他日常生活的一部分，可你们却只能一起搞些活动。若是这样，找个机会向他/她说明吧，因为他们也许并没意识到你并不仅仅满足于有时间同他/她在一起。

有些情况下，特别是在父母刚离异的那段日子里，不同你生活在一起的父母会突然觉得难以同你相处。你的存在提醒着他们在这场失败的婚姻中他们所失去的，或是父母也忧虑在你的面前难以再做个好母亲或好父亲。这时，你也许可以打破这种难处的局面，坦诚地告诉他们你最想要的只是同他们保持联系。或者你必须接受父母在这个时期对你的疏离。无论是哪种情形，你都必须试着正视自己、同时考虑父母的处境。记住父母此刻正面临着他们自己的问题，但这并不是为了给他们的行为找借口，更重要的是你要提醒自己，你不是父母疏离你的原因。若你不满父母此时对待你的态度，你完全有理由生气。可你在发火时，请记住：别人以你不喜欢的方式对待你并不意味着你做错了什么。

父母离异后，你发现自己还会迁怒于父亲或母亲，或对两人都很不满。这样的愤怒与不满影响着你对他们的行为和态度。即使父亲/母亲主动关心、照顾你,你仍发现你无法释怀他们对你造成的伤害。你察觉到自己被愤怒、沮丧或冷漠的情绪占据时,很希望能找人咨询一下,或找个富于同情心的长者,或一个支持帮助你的群体来宣泄自己的情绪,以便能走出低落期,继续生活下去。同你的父母谈谈郁积的情绪将会有助于扫清误会。也可向父亲/母亲问起一些细微的往事,如一起相处的某个特殊时刻,一次难忘的交谈,一起分享的事件,这一切都会提醒你他们依然爱你、关心你,希望分享你的生命。你的愤怒只会被父母解读成他们需要退出你的世界的信号。若你想保持同父母的联系,你也许要主动去寻求。

家庭财产状况的变更。对于最基本的家庭环境的变化你再次显得无能为力,父母决定了一切。你所能做的就是寻找最好的应对和适应目前环境的办法,并了解父母或周遭的人能为你提供的帮助。

首先你要获知家庭财产变更的状况。可询问父母,从而得知。但这并不意味着父母就会告诉你他们的收入,给你看他们缴纳的所得税,可至少他们会让你明了目前他们能否支付的东西。

你也许并不认同父母对"买得起"和"有必要买"两种观念的区分。你可能会愤愤不平:为什么母亲买得起姐姐的新冬衣却不能给你买那件你一直想要的绒夹克？父亲怎能在买了辆崭新的汽车后，却告诉你他无法为你下周的重要约会多给你十美元？

不幸的是，你的父母执掌着家庭财政大权，他们是最终的决定者。他们或许能对自己的开销给出令你满意的解释，或干脆不解释。不过，即便他们做出了解释，如"你已经有了件漂亮的外套了，而你姐姐的那件已破得不行了"，"我是个推销员，开辆新车才能给客户留下深刻印象呀"，你也未必会认同他们的理由。因此，你所能做的就是让父母尽可能明晰地告诉你，你从家用开销中所期望得到的：稳定的零用钱、买新衣服的额外开支、急用的生活必需品以及根据环境变化每个月有所调整的开支计划。在你充分了解家庭的财政状况后，你便能决定下一步要做什么。

你若不满家里的经济状况，你能有什么选择呢？你也许寻思着找份兼职工作，也许你会重新审视自己的开支，节省下手边的钱。你可以为自己制定开支计划以解决拮据的窘境，或者在你经济上自给自足前，你不得不先接受物质上的小挫折。不过，无论是哪种做法，学会打理自己的财政状况对你将来独立理财都有着极大的帮助，不管目前是什么样的状况或谁该对此状况负责。关于这一点，可以读一读《同学，咱们聊一聊钱》这本书。

家庭矛盾冲突。即使在父母尚未离异的家庭中,父母双方的亲戚也未必能和睦相处。在离婚后,这些矛盾冲突会变得更加棘手,而你夹在中间会显得左右为难。

这种情形下,孩子常受到一种"分裂忠诚感"的困扰而烦恼不已。比如,你喜欢你姨妈,但也爱爸爸。可姨妈开始在你面前一个劲地数落爸爸如何亏待妈妈,你茫然了,不知是维护爸爸好,还是站在姨妈一边。你想维护父亲,可你又不愿看到姨妈因此而生你的气。或者你认同姨妈所说的,可数落爸爸的不是似乎又不妥。

这种分裂的忠诚感涉及父母时,你尤为难受。但在你的一生中你还会碰到类似的矛盾,因此你的体验也许会对你将来应对类似情形有所帮助。比如,你将来结婚了,你也需要同他/她的亲友打交道,这其中也须面临各种选择和复杂的忠诚感;你的好朋友结婚后,你也会认识并同他们的伴侣接触,就像你也必须让你的朋友接受你男朋友/女朋友一样。处理你所爱的人之间的矛盾冲突并不是件容易的事,但还是可以解决的。

重要的是你有权去爱并忠诚于你所选择的那个人。没人能让你为了维系一段关系而放弃另一段重要的家庭关系。如果这样的事发生了,或你察觉到它正在发生,那么无论别人怎么想,你都可以决定同时维系两段感情。如果你明确表态不愿去讨论父母,那么迟早你的亲友们会放弃把你扯进这样的话题。即使他们没放弃,而你因明确自己的决定,那么碰到这种情形时也能轻松面对。

要是你父母同你讨论他们自己,你要怎么办呢?你会再次发现明确地表达自己的感受是很管用的。若你父母以积极的态度谈论彼此,有益于你同他们的相处,那么你会乐意谈论这样的话题。但若你在谈话中觉得这样说对不起父亲或母亲,抑或你一直被人灌输一些"信息",那么你就会想法子避开这样的讨论。若转移话题不奏效,或你觉得话题仍让你难受,那么你得向父母表达你希望能同他们都紧密融洽相处的愿望,而实现这一愿望的最佳做法就是不和他们讨论他们自己。你向父母表达这个愿望时,通常要避免用指责或责备的态度,也不要置父母于错误的尴尬中,如"我不敢相信你盘问我关于父亲的事,难道你不知道我也爱他","通过我来打探妈妈的情况,这种做法真低级"。相反的,你应注重于表达你希望父母做什么和你愿不愿意做什么,这才最有效。

在父母多次试图改变你的看法后,你会再次发现你必须坚守自己的立场和观点。若你的家庭有间接沟通的模式，如，通过第三者向当事人表达自己，那么这种方式不会因为离婚而有所改变。若你想要改变这样的沟通方式，即使有时你的做法会让父母不快，你也需做好准备固守自己所想要的，并寻求其他办法来支持、安慰父母，这是一种不用牺牲与他们其中任何一方关系的好方法。

父母离异后各自开始新的恋情或再婚。所有年龄段的子女，即使已婚，面对父母离异后的新恋情和再婚都会觉得困扰。特别是你自己刚开始约会，开始发展一段浪漫感情，碰上这种事，会让你更觉得难以应对。

同其他问题一样，先理清自己的问题所在，然后合理地要求父母做出适当的变通，这样有助于问题的解决。向父母、朋友或另一长者倾吐自己的情绪，即便是无理的情绪，也是有帮助的。其实一方面你知道母亲是有权约会的；可另一方面你又愤怒于母亲无法扮演好妈妈的角色，而其他的角色倒是样样精通。你有权不满，而你母亲也有权约会。若你们能就此开诚布公，误解就会减少。在任何情况下，都要找到一种方式来承认并接受自己的各种情绪，无论这情绪是甜蜜的或是酸涩的。如果隐藏了自己的情绪，那么它又会以其他方式卷土重来。

一旦你接受了新环境,并以某种方式宣泄了自己的情感,你便会希望能同父母谈谈,聊聊你能期望的和你所喜欢的状态。你也许希望他们完全停止约会,可这在很大程度上是不可能的。即使他们真停止了约会,难道你会高兴给父母套上这样的"枷锁",并且去面对如此苛求父母而带来的后果吗?而你若被介绍给他们的约会对象,或他们把你带进他们的社交生活,你则会获得一种安全、确定感。或者他们一直尝试着让你成为他们当中的一员,但你却宁愿等到父亲或母亲各自的恋情关系确定后再说。你会怀念同他们一起共进晚餐的时光或期望有一个专属于你和父母的特殊时刻,那么你可向他们表达这个愿望!试着同父母沟通,你们双方就都能从交流中得到自己所想要的,你甚至可能从中想出有利于双方的新的交流方式。

同样的,若你父母再婚,他们也许不会同你商量这个决定。但是,你可以决定在新环境中你所能发挥的作用。即使你没有独立的房间,也应有自己的方式来保护你的隐私,如衣柜、上锁的书桌。若家里的新成员有他自己的规定,你们能否就此讨论一下,然后做出一些合理的让步。一旦你决定接受新的环境,那么有没有可能通过努力营造一个你喜欢的家庭关系。

总而言之,没有人有权力侵犯你的身体,虐待或恐吓你。若你觉得在你的生活中,你的父母、继父继母、亲友或任意成年人在虐待恐吓你,你应该同另一长者,无论他是否是你的家庭成员,来商讨这个问题。而这种商讨并不涉及忠诚与否,你有权以任何方式保护自己、自己的身体和自己的隐私。

致父/母亡故或父/母有重病的孩子

若你的父亲/母亲亡故,或此刻有重病甚至生命垂危,那么此时的你正面临着一生中最为艰难的时刻。而你从应对困境中所学的将会使你的余生获益匪浅。

父母的亡故会在你的心中引发多种复杂矛盾的情绪,不同的人对此有不同的反应。你的这些情绪并没有对错之分,只是很自然的流露而已。

下面是你将会有的一些情绪体验。

愤怒感。你发现自己愤怒于他人对父母亡故的处理。"为什么没有人及早告诉我事情真相?"、"为什么医生不再尽些努力?"、"为什么父亲要放弃最后一次手术?"或者你也会埋怨过世或生命垂危的父亲/母亲,为什么他们没有好好照顾自己:"她本不该在雨夜开车。""爸不应该抽那么多烟。"你发现自己也指责他人,要他们为父母的亡故负责。而这种情况最常见于车祸造成的死亡中。

所有这些反应都是情有可原的。但究其根源,它们却掩盖了对更深层次事实的愤怒:极大地影响着你的生活的事正在发生,而你却对此无能为力,只能听天由命。便以愤怒来应对父母亡故带来的巨大伤痛与挫折。

负罪感。如果你曾怨恨过已故或病危的父母亲,或你曾忽略过他们,没能同他们更融洽地相处,此时你心中会升腾起一种负罪感。事实上,没有人能够完美地对待另一个人,每个人都会有同自己所爱的人生气、闹别扭的时候,这是人的天性使然。当父母过世或生命垂危而你此时仍对其他的什么事感到高兴或兴奋,那么这种心情也会引发你的负罪感。

麻木感。父母的亡故或病危对你来说似乎都不是真的。你不能相信你的父母此刻正生命垂危,或是真的离去,再也不会回到你身边。你会发现自己沉浸在幻想中,仿佛他们还健在。抑或此刻你对生活中的一切都变得麻木不仁,无所谓了。

所有的这些反应:愤怒感、负罪感或是麻木感,都是你在承受失去亲人的失落和悲痛时所采取的一种自我保护措施。直面那种痛苦是很难的。你准备面对时,可找寻一种悲悼父母亡故的方式,而不是用其他情绪来掩盖自己的伤痛。

若父亲或母亲还健在,那么你就不再会愤怒,麻木,受负罪感的困扰,而会去珍惜你们在一起的时光。你就不会叹惜你本应该但未能够为父母尽的义务,而是着眼于你还能为他们做些什么。

若父亲或母亲已永远地离开了,你沉浸在深切的悲痛中,那么就让自己宣泄这种失落和悲痛吧。你也可以让他们活在你的心里、记忆里和你的行动中。想起一个人已永远地离你而去确实是很痛苦的,但让自己知道人虽已逝,可她/他会在人生路上永远陪伴着你,那么你就会好受些。

致成长在养父母家庭中的孩子们

作为养子,你会亲身体会到人际关系的灵活性是多么的重要。爱、关照和家庭都有着多种表现形式。所幸的是,人类一直以来都有着足够的灵活性,能认识到这些多样的形式,并能对其加以利用。

你还很在意和亲生父母取得联系。避免养父母同亲生父母接触的旧观念已日渐瓦解,现在孩子们寻找生身父母的现象也日益普遍。

如果身为养子的你产生了这种想法,你也许会觉得对不起养父母,你担心会伤害他们,你担心别人说你忘恩负义,或者你担心自己的做法会疏远与养父母间的亲密关系。这的确是个复杂的问题,但是和身处离异家庭中的孩子一样,你有权按照自己的意愿与家庭成员建立亲密的关系。根据所在地的规定,你必须年满 18 或 21 周岁,听取养父母的意见后才可这么做。你也必须让你的养父母明白,这么做并不是因为你不满他们的关爱和照顾,他们最终会决定如何面对和处理,但至少你必须明白你这么做的目的所在。

为什么要去寻找自己的生身父母呢?也许你会这样问自己。也许你也曾幻想自己的亲生父母是多么完美,与养父母相比他们没有缺点。也许你也期盼着找到亲生父母之后那些恼人的问题就会一扫而光,例如:你是谁?你想要如何经营自己的人生?哪些价值对你而言是至关重要的?其实通过见到一两个人,即便他们将成为你生命中举足轻重的人,你现在所体验到的挫折与迷惘也不会因此而烟消云散。

当你在面对独特的困境时,无论是什么样的情况,记住一点:你所经受的种种磨难同你所拥有的关爱、接受的培育一样，都在塑造着一个独特的你。应对困境中的所得将成为你未来人生中的一笔巨大财富。

7

遇到麻烦时

生活中,每个家庭都有遇到各种麻烦的时候。这种麻烦可能是由于某一家庭成员的危难造成的,如意外事故、意外怀孕,或者因一次事件而导致的拘留、监禁。也许家里有人病重或去世了;也许有人失业了;也许因某个亲戚病逝大家伤心得不得了。

还有一些像慢性病一样的家庭问题,例如,长期失业,时常经济拮据,家里有老人长期卧床需要照顾,或是孩子在学习或社交方面先天不足等等。还有些情况其实算不上"麻烦",却让有些家庭觉得是麻烦,比如,家里有人有某方面的缺陷——失明、耳聋、肢残或是智障。这些与其说是麻烦还不如说是这个家有点儿特殊。然而,却有些家庭把这些情况看成是他们特有的问题。

到底有没有哪个家庭没有烦恼?事实上,有些看似幸福美满的家庭却面临着你闻所未闻的问题。虽然每个家庭都有解决问题的不同办法,但有一点我们可以肯定——家家有本难念的经。

每个家庭都会遇到些麻烦,但具体情况不尽相同。有些家庭处理危机或问题比其他家庭更明智些;有的家庭是让大人帮助孩子解决问题。

对一个家庭来说,解决问题的关键是诚实开明。只有全家人都意识到问题的存在,并且同舟共济才能最容易地渡过难关。比如,爸爸或妈妈失业了,家庭陷入了经济危机,这是个挺可怕的问题。如果父母把这个问题开诚布公地向孩子们解释,告诉他们"没钱固然可怕,但我们早有准备,问题是可以解决的",事情就变得简单多了。父母宁愿承认自己忧虑、着急,也不要装成若无其事的样子。要是等到问题已经不可收拾了,才向孩子们一股脑儿地讲出来,反而更令孩子费解。

现在,我们看看各个家庭是怎样以不同的方式来对待诸如母亲失业或家庭经济危机问题的。妈妈在外找了一天的工作,失望沮丧地回到家中。不妙的是,孩子又不识时务地向她要上学的车费或买早点的钱。妈妈被逼急了,于是大发雷霆:"我真不明白,我给你的钱你到底怎么花的?你以为我是做钱的?"

这是任何一个家庭都可能发生的情况,我们再来看看有哪些解决办法:

事后妈妈可能只字不提。若是孩子发起议论的话,她就说:"我们不谈这个。"于是,孩子就无从知道家里的经济问题有多严重,以及自己能帮得上什么忙。

妈妈也可能说:"对不起,我那天脾气太暴躁了。"但是一旦孩子问起是不是钱的问题,她却说:"当然不是。你这是什么意思?我当时只是脾气太暴躁罢了。"这可能会让孩子感觉更糟糕。他们已经能够判断家里的经济出了问题,而妈妈的回答只会让他们更费解:为什么妈妈要否认事实呢?

妈妈还可能说:"以后花钱省着点儿。要是你不这么花钱,我们就什么问题也没有了!看看你这件新买的运动服,你当时要是不买的话,现在就不会没钱花了!"妈妈可能在不知不觉中告诉孩子家里经济危机有多严重,甚至已经买不起一件运动服了。如果妈妈这样责备孩子,好像孩子们应该对家里的所有问题负责,仿佛孩子们不这么"奢侈",问题似乎就能解决了。这样,等到事后再告诉孩子们该怎么做,孩子已经失去了一个帮助母亲的机会了。而且,孩子们很清楚,这类事情根本不是孩子的责任——他们还是会觉得别扭和困惑:怎样才能让妈妈相信,有些东西确实不是她想的那么回事?

妈妈可以这样说:"对不起,我不该发脾气的,但你知道,我为钱发愁,只是朝你发泄了一下。"然后他们可以一起商量孩子能帮助做的事:

- 是否有孩子可以帮着节约开支的地方?
- 孩子能否有切实可行的办法赚点钱,哪怕就赚自己的零用钱也好?
- 母亲和孩子可以达成共识:不要在母亲找工作回来的时候提任何事情。他们可以把问题留到晚饭后妈妈比较放松,感觉不那么累了再谈。

意识到问题的存在,并知道孩子们能帮上什么忙,问题仍然没有解决,钱还是不够用,妈妈依然会为此担心,孩子们也依然会因为买不起想要的东西或因妈妈的不高兴而感到害怕、生气、心烦。但问题已经公开,没有人会受到责备,孩子们也不会被拒之门外。至少让孩子的心情有个发泄的地方,而没有隐藏压抑起来。把这份心事隐藏起来并不代表解决了问题,反而只会让大家感到愧疚,问题也因此变得更严重。

仔细比较了不同家庭解决问题的不同办法,是否有你感觉很熟悉的地方? 你会发现你们家可能选用的是其中一种,或者你会发现,和许多家庭一样,你们家会把各种办法混合起来解决问题。也许你们家能够开明诚实地对待一些问题,而把另一些问题隐藏起来;也许你父母和其他家人会有不同的处事办法,有的合你的口味,有的却会让你感觉不那么舒服。但有些家庭会变化无常:今天一味责备孩子,明天却装得好像什么事也没有发生过似的。这种情况是最让人琢磨不透的。

想想你们家解决问题的办法,再想想你对你们家曾经出现或正在出现的这些问题的看法,你是否觉得:

- 生气?
- 惭愧?
- 担心?
- 自责?
- 怨天尤人?
- 疑惑?
- 满怀希望?
- 事不关己?
- 满不在乎?

这些感觉你可能都有,也可能只有其中一种或几种。或者,你在不同的时候会有不同的感觉。但重要的是你要认清自己的感觉并理解你家人的处事方法。

因为无论遇到什么问题,以下几种情况都可能存在:

- 你很可能有办法让自己好受一些。
- 你很可能没办法完全靠自己来解决所有问题。
- 你会遇到一些你束手无策的问题。
- 如果其他家人不愿意,你自然无法让他们的心情好一些。

比如:在上面这个母亲失业的故事里,孩子在母亲所能接受的范围内,做些力所能及的事情来宽慰母亲,这样就能让自己心里好过一些;不管有没有母亲的暗示,孩子要是能够捉摸出什么时候可以跟母亲说话,什么时候不该说话,这样也能让自己心里舒服点。当然,孩子是不可能解决全部问题的。有能力为父母找到工作或提供经济支持的孩子并不多,所以,工作并不是特别有必要。即使孩子不花父母亲一分钱,经济问题也还是存在的。

孩子所能做的就是:

- 减少开支。
- 做兼职赚点钱。
- 帮忙做点家务。
- 体谅父母的感受。

孩子不能做的是:

- 为母亲找工作。

- 为家里挣足够的钱。
- 不再提自己的任何需求。

只要你住着家里的房子,你就有权在你需要关心和安慰的时候表示出来,而没有必要顾虑此时还有其他人心情不好,也不必因为自己这样做不够"完美",不够"无私"而感到惭愧。

如果妈妈愿意安慰你的话,你就有很多可以做的事情了。如果她不能够克服这种担心、焦虑、愤怒的心情,那么要宽慰她就不是你的能力所及了。让我们做个假设:妈妈在外找了一天的工作,疲惫不堪地回到家里,你给她一个深情的拥抱,兴高采烈地说上一句"你好!"而她却吼道:"离我远点! 没看见我正累着吗?!"这时候你可能觉得你要是在她回家的时候做点别的事情,她也许会有个好心情。问题是,她是大人,如果她想要你做点什么特别的事情的话,她会告诉你的。但是,不管你做什么,她仍然心烦,那就是她的问题了,尽管你可能因为没有令她开心点而感到伤心或生气。

遇到麻烦的时候,你能为自己做的最好的事情就是:不要把自己的情感和事情掺和在一起。首先要客观地看待问题并做出正确的判断,然后再考虑自己的种种感受。在你对发生的事和自己的想法都心里有数之后,就可以决定你想做些什么,能做些什么,或对哪些情况无能为力。这也许还不能够解决问题。如果你感到悲伤、愤怒或是害怕,这些心情肯定还会持续一段时间,毕竟生活中既有悲伤、心烦、惊慌的时刻,也有开心幸福的日子。但是,若能清楚地看待问题,至少就能少受点苦。

比如说,妈妈失业了,孩子要做的第一件事就是客观地看待问题。

从实际出发,妈妈的失业会带来什么变化呢?要马上搬家吗?要把车卖掉吗?要把分期付款买的东西一一退还吗?是否家中有人要到亲戚家寄宿,直到家里有钱让他们回来?事情会变得多糟?还是不会变得太糟?

妈妈究竟要花多少时间才能找到工作呢?你还认识哪个孩子的家长也失业了?这个孩子的情况和你的一样还是有一点不同?

对一个十来岁的孩子而言,要独立回答这一类的问题确实不容易。这就是为什么在家里要开明地解决问题的原因。或许,妈妈已经解释了这一切:"大家注意了!我已经失业了!他们不定期解雇职员,因此,我没办法保证我能够重新找回这份工作。我想用一个月左右的时间再找一份工作。我们还有一些积蓄,也能拿到一些失业救济款,所以,你们不必太担心钱的问题。当然,我们也不得不减少一些开支,像买新衣服,看电影之类的,你们还是可以拿到少量的零花钱,我们还不至于挨饿。日子可能会比以前难过一点点,但我们一起努力,就会渡过难关的。"

妈妈向大家解释了问题的所在和应对的办法,也就让大家明白问题有多严重,或者有多不严重。如果你的父母这样来处理危机的话,你就可以详尽地了解情况了。当然,你没有必要和你的父母知道的一样多,只要了解你想知道的就行了。

如果你的父母对一个问题的态度不是这么明朗,而你又对这个问题感到心烦,你不妨刨根问底一番,也许他们还没有意识到你已觉察并开始关注。要是这样的话,你只需开门见山地问他们到底发生了什么事。如果有些特别的事情困扰你,如"我们会搬家吗?""这是否意味着你再也找不到工作了?"你尽管问他们。你的父母一旦意识到你已经知道这些事情,他们将很乐意告诉你。

不过,他们也可能对你绝口不提,因为你一提他们就觉得很烦。他们可能宁愿你当作什么事情也没有发生过:"你不想要那件新衣服了,对吧?"你一提他们就责备你:"你要是不这么大手大脚的话,钱就不是问题了!"他们还可能归咎于家里的其他人:"你那笨蛋妈妈,连一份工作都保不住!"他们也许会责怪某个亲戚:"要是杰克那个老家伙愿意帮忙的话就不会有问题了!"你大概会觉得诸如此类的责备很烦人,因为你对这些被责备的人挺在意的,而且,这些责难可能根本就不成立。妈妈都失业了,还怎么帮忙啊?妈妈丢了工作难道就是杰克爷爷的错?难道他就真的能够养得起全家?即使你父母所说的这些表面上看似有道理,因为你的确可以减少花销,杰克爷爷很有钱也确实可以帮得上忙,妈妈也实在不应该连续一星期天天上班迟到,但这不是你想要的答案,这根本不能解决问题。你关心的不是应该冲谁发火,而是存在的问题有多严重,对此你又能做点什么。

因此,如果你觉得父母的回答不尽如人意,你也可以尝试其他方式来了解情况。也许通过观察他们以及身边发生的事情,你会有所发现:虽然没有钱买奢侈品了,妈妈仍然有办法在你生日那天给你买条围巾,可见家里还不至于"弹尽粮绝"。这样,不管是你的家人还是其他人失业,你都能够客观全面地为他们考虑,无须大人提示。

如果你对自己的处境还没有把握,或是你把它想像得很糟糕很可怕,你可以找个大人来确认你的估计,比如你担心必须马上搬家到外地去,就像父亲失业的邻居家一样。往往这个时候,亲戚会比父母更坦白,更管用。老师、亲友都可能让你豁然开朗。尽管你会发现一些令人心烦的事情,但只要你不是生活在恐惧中,你将会发现问题的所在,然后才有办法面对。一旦你全面地掌握了情况,你就已经准备弄清自己的看法。记住:你若能了解自己最真实的感情,你就能够最好地处理这件事情。比如说,妈妈失业时,你的反应是生气。妈妈保不住自己的工作以至让你买不成自己想要的东西,这让你狂怒。也许这种感觉会让你觉得很愧疚,心里想:"在妈妈遇到这么严重的事情,感到如此悲伤的时候,我却念念不忘自己的新衣服?"你认为你不应该生气,所以你就假装不生气。

不幸的是,这一点也不能奏效。你生气了就是生气了,不以这种形式发泄的话,还会有其他的形式。也许你会找到其他的"好借口"来冲妈妈生气,因为用"太蹩脚的借口"来发怒会让你觉得很难受。妈妈丢了工作你不应该冲她发脾气,难道借口她放学去接你接晚了或没有认真听你讲学校里的故事就可以了?这怒气没有自行消失,只是你找到了另一个借口而已。但问题是,如果你的怒气是这样发泄的,你不会真正觉得舒服。如果你并没有真的因为妈妈接你去晚了而生气,只是想借题发挥,这样只会让你更内疚。

也许你还会另找人来发泄。你可能冲爸爸发火,因为他没能赚大钱,要不然,妈妈失业就不是什么大问题了;你还可能生老师的气,怪他在你家里一团糟的时候还要求你做这么多作业。但这样也不会让你好过,相反,只会让你与想亲近的人渐渐疏远。

发火是对付压抑的怒气或其他感情的最糟糕的办法。你会觉得生活没有意思或自己是个没用的人,而且这种长期的沮丧绝望往往是人们将对某人的愤怒深藏心底的方式。因为你觉得冲他发火不妥当,所以你干脆就试着让自己变得麻木不仁。或者你就生自己的气:"我怎么这么难看?我怎么这么笨?我到底怎么了?"存有这种心态的十几岁的孩子不知道该如何表达自己真实的情感,于是开始酗酒,违心地抽烟、与人发生性关系等。

可见,认清自己对待家庭问题真实的想法是非常重要的,不管这些想法是好是坏,是对是错。你不一定非得把它表现出来。举个例子吧,一个与你们生活在一起的长辈正跟你家人闹别扭,你会有这样的想法:"我恨不得索尔伯伯早点死,这样我们就再也不用忍受他给家里添麻烦了。"你必须知道,你虽然这么想的,但没有必要告诉你父母或家里其他人,当然更不要告诉索尔伯伯！你也许愿意把这些想法写出来，然后藏起来或烧掉，这样，你也许会发现这时候你感到舒服多了，因为你是这么诚实地对待自己。有些人选择画出自己的感情，在画上表达自己对整件事情的看法。把索尔伯伯画成一个怪物，正企图吞噬你们家，这样可能有助于赶走你的受挫感，带给你好心情。

遇到以下情况时，你可能愿意把你的感受写出来、画出来，或者仅仅是把所有的想法一个个在脑海中过一遍：

- 父母离婚。
- 有人突然外出工作，而你已经习惯他在家的日子。
- 有人去世。
- 有人生病。
- 有人变老。
- 家里有人意外怀孕、犯法，或需要被送进某个公共机构，如疗养院、精神病院等。
- 你自己遇到类似的问题。
- 离开现在的家庭进入另一个家庭环境。
- 与你生活在一起的人沾染上酒、赌、毒瘾或是其他嗜好。

如果这是一个长期问题，你大概早有自己的看法了。若是突发事件——死亡、严重的意外事故或是离婚的消息,那么你可能会经历几个心理阶段。

第一个阶段。你刚听到这个消息会感到很震惊,简直不敢相信这是真的。不接受这一现实在心理学上称作"拒绝",指的是一种无意识的反抗机制,其特征是拒绝承认痛苦的现实、想法或感受。

人们是怎样拒绝坏消息和悲剧的呢?有时候是假装无所谓:"爸妈迟早要离的。""很多人都会遇到工作危机,我们家也不例外啊。""我还正不想住在我们的老房子里呢。"这些说法或许都是真的,但也不排除这个可能性:你企图以此来克服这些事实带来的悲伤、愤怒和害怕。

有时候人们也会通过责怪来拒绝。他们会说:"妈妈如果真的爱我,就不会出去工作了。""奶奶要是不抽烟的话,可能可以多活几年。"这些话有些也许是对的,也许根本不对。但不管怎样,责怪别人的做法只是企图逃避自己的真实想法而已。即使你知道该怪谁,也仍然解决不了问题。或者,也会有人选择自责。这大概是最痛苦的选择了。这样你不仅难过,而且内疚。"要是我做个乖孩子,爸爸可能就不会走了。""要是我在露丝阿姨在世的时候多陪陪她就好了。""我本应该找份工作的,这样我就能有更多的钱了。"如果你发现自己正有这种自责的倾向,那就赶快打住,告诉自己:"我不打算再考虑是否应当自责了,不管答案是什么,我只想知道自己真实的想法。"

下面还有一些人们拒绝或逃避自己真实想法的方式:

- "以前不会这么在意这种事的,只是偏偏它发生的不是时候。"
- "如果这件事发生在去年,一切都好说,可是现在……"
- "我并不在乎他们的离婚,我难过的只是我们要离开那座老房子(或老住在那座老房子里)。"反正,担心的不是整件事情,只是其中的某个部分。
- "我不介意,但我知道妈妈的日子不好过!"当然,也可能是爸爸、奶奶或是其他人。
- "我不介意,但我不知道我的同学或亲戚会怎么说。"
- "我不信!或许爸爸妈妈会改变主意,破镜重圆的。""大概是医生弄错了。""这只是一场噩梦,我醒过来就没事了。"

逃避痛苦的感受是极为自然的一件事情。当某一场危机爆发的时候,你觉得你的世界天崩地裂了。与大多数人一样,你本能的反应就是保护自己,让什么事情都"没有发生"。假如你有能力扭转局面:挽救他或她的生命、让父母和好如初、为别人解决困难等,那你当然要做了。假如你实在无能为力,你可能也会假装你行,从而自责或者是找一些你不在乎的"理由"。这时候你如果听到自己说了以上其中一句话,你可能会深吸一口气,然后做好接受更大打击的准备;你也可能试着把自己的感觉写出来、画出来或找个人来聊聊。

第二个阶段。拒绝已经变得没有任何意义,你可能就该生气了。或者,为了隐藏怒气而变得沮丧:"为什么事情偏偏发生在我身上?我不应该遭这个罪的!""爸爸妈妈为什么要这样逼我?"甚至说:"某某人怎么就这么走了,让我这样伤心?"

你冲着这个让你痛苦的人发脾气,特别是埋怨那些去世或离开你的人,也是人之常情,虽然你也知道他们也是不得已。理智告诉你那人死了,但并非他自己"想"死,只是"不得已"。但你还是要生气,因为你不想让这个人死的。

如果你的一个亲人或是好朋友病重或快要死了,你可能希望你的心情会有很大的变化,生气只是其中之一。对一个垂死的人的生气并不代表你是个坏人或你不爱他。我们不可能为一个自己不在乎的人生气。那么,理由只有一个:你实在是太爱他了,所以你生气!

你没有必要向一个垂死的人发泄你的怒气,你可以把它写出来、画出来,或跟别人聊一聊。你也没有必要沮丧、悲伤或变得孤僻、沉默寡言,这样只不过告诉人们你有多烦。你要尽量让自己开心起来,不管是和这个垂死的人、家人在一起,还是在你的朋友圈子里,都要开心。人世间最痛苦的事情莫过于看着自己所爱的人离开人世,你不可能指望自己能够十分完美地处理这样的事情的,你可以允许自己和别人一样有复杂矛盾的心情和行为。

第三个阶段。经过了拒绝和愤怒,你终于可以做到让自己理解并接受这一现实。于是,你开始面对这一事件给你带来的一切;无论好坏,你都用自己最好的办法来解决。

接受现实并不意味着你要喜欢并赞同。也许你会觉得,能说的都说了,能做的也做了,那么现在丢了工作实在是妈妈自己的错,因此你对她的所作所为不满意。你有权不满意,但这并不是你要求她有大的变化,变成一个更负责任的人,因为她也许根本就不是那样的人。

另外,你也可能认为这个病重的人不会死,你继续抱有希望:他总有一天会好转起来的。你希望他能够再坚强一些,能够多听医生的话,但你也可能要面对他无法康复的事实,并能够接受这个人选择面对死亡的任何方式。不情愿的同时,你还是能够接受的。

接受现实并不会在某一方面强于前两个阶段,它只不过是这个悲剧的最后一个阶段而已。在一段时期内,拒绝承认现实或自己的感情也许有必要。换句话说,你需要一定的时间来接受这一现实。但无论早晚,接受都是最重要的。如果你觉得要度过其中的某一阶段有困难,你最好找个人来倾诉一下。

先对形势进行客观的估计,弄清自己的真实感受,然后你就能决定你能实实在在地做些什么事了。你也许可以在脑子里或在纸上列这样一张清单:

- 我能做些什么事情来改变现状?
- 我想做些什么事情来改变现状? 假如事情是这样的:你母亲失业了,你能做的可能是给别人家打工;你可能还想为这个家赚足够的钱,尽管你知道这在目前还不可能。
- 我能做些什么事情来使自己心里好一些?
- 我能做些什么事情来帮助家里的其他人,让他们心情好一些?
- 有什么事情是我无法改变的?

很重要的一点是,你不要认为你必须对整个事件或他人的心情负责。能否让他们心情好一点,主要还是取决于他们自身,你只能起一点点作用。

同样重要的是,你也不要觉得一点办法都没有了。总会有你能做的事情,哪怕仅仅是找一个让你忘掉烦恼的办法,或是每天安排出一段能让自己独处伤心的时间。你没能让事情回转并不等于你就无计可施。你目前的伤心、生气或害怕并不意味着事情一直都会这样,也不意味着你做错事了。

恐怕我们要花上好几年的时间来弄清楚你能否改变梦想和现实之间的区别,而且,这个问题是永远不会有正确答案的。如果你开始学着估计形势,承认自己的真实感受,就会获得宝贵的技巧、勇气和智慧,能够让你受用一生!

8
问题无法在家里解决时

有些家庭有个家规,即"家丑不可外扬",就是说问题只能在家庭内部解决。他们认为自己家里出现问题无法解决而向他人求助,哪怕只是让别人知道,都是一件非常丢人的事情。家长往往会用非常微妙的方式向你传达这个信息:"你干吗要告诉他?"或者,在你提到某某人问起某事进展如何时,他们干脆就生闷气,或是显得很恼火。不管怎样,他们就是会让你知道:"别再提这件事情了!"再则,他们干脆就直接向你下达命令:"不许告诉你的任何朋友你老妈丢了工作,我们可不想让人家瞧不起!"

不少家庭坚守着这样的原则,但也有些家庭认为,问题就出在这个原则本身。它只会让你感到羞耻、害怕。特别是当你不小心在学校被人知道你手头紧的时候,你甚至会有负罪感。你会猜测:"他们可能就此断定我妈失业了。"这还会让你觉得孤独。假如父母不能给你提供你想要的答案和帮助,又不允许你把自己的处境向别人倾诉,你就真的只有郁闷的份儿了。他们会告诉你:"也许我们不是最好的家长,但是你还是得忍受,因为这世界上除了我们之外再没有别人可以为你提供任何意见和帮助了。"

你不一定非得接受这一点。如果这一切他们能给,那再好不过了。如果他们无法做到这一点,找一个家庭以外的朋友来倾诉也是很有好处的。这个朋友可以和你年龄相仿,也可以是成人,或者这两种朋友都找。起码他们可以给你一些不同的观点,倾听你不愿意向家人倾诉的一些思想感情。你应该不会告诉妈妈你因为得不到那件新衣服有多难过,但你完全可以痛痛快快地向一个朋友发泄,他绝不会像你妈妈听到这些抱怨那样难过。家长一旦禁止你向外人透露任何家庭问题的同时也剥夺了你获得这类帮助和安慰的权利。因而,如果你不愿意,就没有必要迁就他们的要求。

假如你在家里既不能得到帮助,也不能得到任何意见和建议,那你绝对不能这样迁就。找一个你能信任的朋友,你可以在他身上得到你想要的东西。你也可以选一个顾问或年长的朋友,他们能为你在父母面前保密,这样你就不用面对与父母分歧的意见了。甚至你还可以直截了当地告诉他们,你不愿意这样伪装。总而言之,不要因父母要你保密,而放弃了寻求自己实现希望的机会。

你可能会遇到让你的家人觉得丢人而要你保密的事情:

- 家里有人智障或残疾。尽管现在大部分人都能够接受"每个人都会有不同程度的缺陷,也会有超人的地方,只是有些人的缺陷更明显罢了"这样的观点,但仍然有些人固执地认为这是种耻辱。

- 家里有人犯法了。这的确让人感到很难过、很痛心,但这绝不是你的耻辱。

- 家里有人患了精神疾病,或仅仅是在吃有关的药或正接受心理治疗。在我们对此还不太了解的情况下,精神病听起来总是非常可怕的。而且有些人出于无知,把各种心理辅导掺杂在一起,从一周看一次心理医生发展到住进疗养院。还有些人出于害怕,而觉得所有感情问题都是可耻的。其实,这只是他们表现出自己恐惧的一种方式。

- 家里有人染上酒瘾、毒瘾或有其他嗜好。对一个家庭来说,这是很难解决的一个问题。但也没有理由装得若无其事。自欺欺人于事无补。

你应该选择什么样的人来倾诉？
- 年龄相仿的朋友。
- 除父母以外，家里的其他成年人。
- 老师。
- 学校的心理咨询顾问。
- 当地的心理卫生组织。
- 心理咨询服务热线。

如果你正受到虐待

这里所说的"虐待"，并不仅仅是指你受到不喜欢或不公平的对待方式。它还意味着这种遭遇在身体上、精神上或是情感上对你的危害。受虐待的意思是：受到了成年人对你肉体上的伤害，如，某种罕见的、极端的惩罚；被非礼，或是某个亲戚或成年人逼你与其发生性关系。有时候你自己也很难讲清楚自己是否真正受到了虐待。比如说，你受到体罚，也许从某种程度上说这是你"活该"；也有可能你的父母或是监护人本身享有这样一种"权利"——爱怎么处置你就怎么处置你。坦白说，你很可能已经知道这里面有错。索特博士说："感觉错了，就是真的错了。"一个星期没人理睬的确是一种让人很不舒服的惩罚，你绝对不愿意也不同意这样的。但这毕竟与肉体上的虐待与威胁不同。

肉体上的虐待的确很恐怖,让人很反感,所以,我们甚至连想都不愿意想。但如果你正处在这么一种情况中,你有权保护自己。第一步,你要知道以下几种惩罚是违法的:

- 暴打,特别是对一些敏感部位。偶尔一记耳光不是好的惩罚方式,但不至于造成虐待。你可以根据你的切身感受来判断,如果你被吓着了,或是觉得处境危险,那这就是虐待了。
- 烧伤。
- 绑起来或锁起来。
- 抓伤。
- 推挤而造成擦伤或是划破。
- 砸东西。
- 推下楼梯。

同样,屡次不满足孩子在衣食方面的要求也是一种虐待或疏漏。但是,并不是说不让孩子赶时髦就是衣着上虐待,而是指不给他买冬衣,让他衣不蔽体。

但有时候,大人只是倾向于动用手脚来表达;有些家长对孩子特别严格,吃饭的时候,孩子们表现不好,就会被赶走。如果你父母是这样惩罚你的,那你不应认为是受虐待。即使你讨厌这样，但还不至于太难受。如果你时常对父母产生恐惧心理，而且觉得你父母对你的方式与朋友的父母对待他们的大相径庭，那么你就是被虐待了。因而，你也可以通过一些你觉得"不对劲"的感觉来判断。

如果你认为自己受虐待，或是想弄清楚自己是否受虐待，你可以找个人来谈谈，当然这个人不能是你最亲近的家人。然而，关心爱护往往与虐待并存，这种情况常常把你搞糊涂。你深信，在内心深处，他们的确非常关心，尽管没有直截了当地告诉你。不管是出于对自己过错的忏悔还是对父母所承受的压力的同情，你都会认为自己能理解他们的做法。你所有这些感受和想法绝对正确，但这并不能改变一个事实，即，你应该享受的是礼遇而不是虐待。如果父母真的爱你，他们最后会很高兴看到你帮助他们意识到应该怎样正确对待你。

相比之下，性虐待就复杂多了。很多跟大人，特别是亲戚中的成年人有性接触的十几岁的孩子发现自己非常迷惘。一方面，他们意识到这种接触不对，因为这造成肉体上的某些痛苦，或是仅仅因为这侵犯了个人隐私。另一方面，他们渴望得到成年人的关心与爱抚，但绝非性爱。尽管你会对发生性关系感到不安,但你还是有可能被激起性欲。对少年儿童进行性骚扰的成年人可能会对他们说:"都怪你,是你让我兴奋起来的。"或"我敢肯定你是愿意的。你乐意这样,不是吗?"

这时候,很重要的是你自己要明白:这些情感可以在你心里混杂,但你仍不能够对这种性接触负责。你完全没有必要做你不想做的事情,不管他们怎么说;而且你也没有必要为大人的过错承担任何责任。即使是你自己先向大人提出性要求的,他们也应该帮助你一起划清彼此之间的界限,特别是当这个大人是你的亲戚或家里的朋友。事情往往是这样的:大人的诱导导致了性关系的发生,然后又利用你的负疚感和迷惘,从而让你难以自拔。

假如你的身体因被刺激兴奋起来,而做出种种反应,这并不代表你愿意同他做爱。大多数人都渴望温情和疼爱——包括来自成年的家庭成员的拥抱和亲吻。你想从大人那里得到这些,并不意味着你在鼓励他们不怀好意地接近你。大多数孩子认为大人都是权威人物,并依赖于他们的关爱和呵护。要是大人利用你对这种权威的尊重和对爱的需求,从而以任何形式侵犯你,或是引诱你触摸他,或与你性交,这都超出了"满足你的需求的范围"。他是在虐待你。

以下是一些例子,告诉你什么是成年人与小孩之间不恰当的性接触。如果在你家里也存在着类似的情况,请记住:不管你说了什么,做了什么,你不仅不需要对此负任何责任,你还有权寻求帮助以防范它再次发生。

- 相对于父母与孩子之间"普通"亲吻而言,长时间的或是过于"黏"乎的接吻。
- 触摸他人的生殖器官或乳房,或者别人触摸你。
- 故意长时间在大人的床上逗留,或者大人在你床上逗留。
- 在异性双亲面前赤裸身体,或是异性双亲在你面前过于暴露。大部分的性虐待是异性双亲一手造成的。然而也有一些是同性的,因此如果你和同性父母在一起,这一条也是适用的。
- 长时间的"摔跤"或是"挠痒痒"。
- 性交。

以上几条不可能包括你可能或已经遭遇的各种性接触,但有一点是肯定的:你自己的感觉就是最好的尺度。只要你父母对待你或是跟你说话的方式让你觉得不舒服,你就要找个人来倾诉,让他帮你出出主意,当然这个人不能是你最亲近的家人。

你怎样才能辨别听你倾诉的这个人的建议是否可行呢？仍然要靠你的直觉。如果你还是觉得不舒服，那么他就没理解你的处境。那你就继续寻找，直到你找到更合适的人。你的身体和身体的隐私是很重要的，你有权保护它们。

寻求帮助

我们人一生中常常会遇到需要帮助的时候。获得帮助的渠道也是非常之多的，如与朋友聊天，得到一个群体的支持，向心理咨询顾问倾诉等等。他们能够满足不同生活中遇到不同情况的人。很多途径都能告诉你怎样去寻求帮助。你可以拨打热线电话；向老师、心理咨询顾问或成年朋友咨询，也可以问同龄朋友。你可能会对你找到的第一个帮助不满意。跟心理咨询顾问谈话可能会让你觉得你还是喜欢对你支持的社会团体。假如你找医生谈，你可能会感到不自在，或者认为他不了解你的情况。别灰心，继续寻找，直到你找到最适合你的帮助为止。

下面是一些可能导致你向外界求助的情况：
- 你或你的朋友被自杀的念头压得喘不过气来。
- 你在家里待不下去了，正打算逃离，或是已经离家出走了。
- 你惨遭肉体上的虐待或性虐待;或者你可能很快就会被虐待。
- 你意外受孕,或者你使他人意外受孕。
- 你绝望之极,以前热衷的活动现在却再也吊不起你的胃口,你宁愿无所事事地待着,也不愿意去找些新的乐子。甚至早晨也懒得起床。有时候我们都会这样的,但如果这种状况持续一两周以上,你大概就有必要想办法摆脱了。
- 你要花上一两个月,甚至更长一段时间走出与男/女朋友分手或是失去一位好朋友的低谷。
- 你的至交去世了。
- 时不时地感到紧张、害怕,总有一种不祥之兆。
- 家里有人情绪十分低落,或频繁地遭别人无故发泄怒气。
- 你的密友染上了酒瘾、毒瘾、赌瘾等。
- 你自己已经开始或害怕会染上酒瘾、毒瘾、赌瘾等。

这些都是困扰着人们的问题,往往只有善解人意的人注意到了才会起作用。

以下是一些人不愿意向别人求助的原因:
- "我比我认识的人日子好过多了。"这也许不假,难道你就不应该再快乐点吗?

• "爸爸妈妈不喜欢我这样的。"这一点你可能对,也可能不对。有时候,父母亲会很放心、很高兴地看到你得到了他们所不能给你的帮助。即使你的父母可能不喜欢你向外人求助,但这是否意味着你活该受罪?你是为你自己着想才这样做的,并不是为了背叛父母。

• "会有人觉得不可思议。"当然,你没有必要通知每一个人。即使真的有人知道了,你会因为他们的看法而放弃追求自己的幸福吗?

• 如果我向别人求助了,不就等于我承认自己的无能了?我自己应该可以应付过去的。如果你求助了,无非只是"承认"了你跟大家一样,也是一个普普通通的人;而这一点,正是我们大家都十分清楚的。

• "只有疯子才会跟心理咨询顾问谈自己的烦恼。"可有些人确实是"疯子",因为他们的问题已经严重到无法应付日常的社交;但是还是有很多人,他们没有"发疯",照样求助于这样的心理咨询服务。不管是影星、政治家、律师、医生、作家、警官、杂货店的店员,还是高校、中学的学生都会向心理咨询顾问咨询,拨打热线电话,或是寻求其他方式的帮助。这些人不是"疯子",他们只是遇到了麻烦的普通人,不能够完全靠自己来解决问题而已。

- "这没有任何好处。没有人能帮得了我,我已经病入膏肓了。没有人遇到过像我这样的问题。"这时候找个人来倾诉,对你来说是把"双刃剑"。一方面它能让你了解到很多人跟你一样,都会遇到类似的问题。当然,要你不觉得自己很"另类",或是自己"遇到了与众不同的难题"是很难的。另一方面,你知道其实还有人跟你一样,你并不是孤独的,有人可以帮得了你,这样会让你觉得好受一些。

关于你所求助的这个人或组织,你还需进一步了解他们以及你对他们的感受。比如,你是否想让他们了解你的处境?你不一定总能赞同你所得到的答案,有些话你可能听得并不顺耳。但只要你基本上还觉得这个人或组织能够理解你的处境,你们就可以找一个合适的机会探讨一下你的看法。没准你们双方有人会改变看法,甚至双方都改变主意了呢。

跟你所找的这个人或这个组织在一起的时候,你是否觉得很安全?起初你可能觉得害怕。求助的这个想法让你心烦,因而,一开始就接受别人的建议、安慰或批评是很难的。你可能得听你不想听的话。但你也可能很希望自己能够信任自己选择的这个人或机构,而且相信为了能够摆脱烦恼而煎熬这段日子是值得的。如果你觉得没有安全感,那你能否告诉他们你的感受?你是否能感受到他们正在倾听并尊重你的感受?

还有一点是很重要的:你所选择的这个人能否证明他有这个资格;他所在的这个组织历史业绩如何?有些宗教、政治或邪教组织会诅咒人们。他们不会帮你解决问题,只会诱导你放弃独立,完全依赖于他们,让他们为你决定一切。

能帮你的所谓"有资格的人"应该有个学位,可以是社会工作硕士,有执照的或被认证过的社会工作者,理科硕士,教育硕士,博士(比如心理学方面的)或医学博士(比如在精神病学上有专长的),这些都是这个有资格的人最有可能拥有的学位。所以不要不敢问你的心理咨询顾问有什么学位或证书,以及有什么样的资历。

若这个人是来自一个很著名的机构,但是他或她不让你告诉别人你们之间的联系,那么这里面肯定有问题。即使你选择不找人咨询,你还是得确保万一你想咨询你清楚该怎么做。如果那个人没有任何学位,但又主持着某团体工作,那么他一定要来自相关组织,如某所学校、某著名的青少年中心。

这样的人不会让你减少与家人和朋友的联系。

你们可以讨论一下是否要减少或断绝与你生活中一些人物的交往，例如，虐待你的双亲，或是煽动你去做你不喜欢做的事情的一群朋友。但如果你的这个心理咨询顾问要求你把你所有的时间、精力和金钱都投入给一个什么组织，或者要求你一周之内不止一次或两次参加什么样的聚会，那么你就要小心了。你自己要学会独立，不要变得过于依赖一个新的团体。

爱家？离家？

我们每个人都来自某个家庭，这是我们后天受教育的基础。你对这个家的看法还是你与家人的相处无非就是三种情况：好、不好、好坏参半。你长大后可能觉得这个家和以前一样，或是变了，或是在某些方面一样，而在某些方面却有了改变。

不管你怎么看待这个家，你终将离开它，到社会上闯荡，因为你长大了。即使你仍住在家里，你也要开始承担一些成年人的责任，像接受高等教育、工作、培训或其他致力于锻炼自己、发展自己的方式。你会建立起属于自己的成熟的友情、爱情和家庭关系。

同样的，不管你怎么看待这个家，在很长一段时期内，它对你还是相当重要的。即使你不住在家里了,经济上也独立了,你的家庭关系也会对你的感情和思想产生影响,决定你的生活可能是或者应该是什么样子。

不管你现在的生活和你的家庭与你所期望的是否一样,还是部分相似,只要你越能理智地把握自己对家庭的感情,你就越容易能够按照自己选择的生活方式进行下去。这本书中的这些观点,将对你解决家庭问题和你对家庭的感情问题有所帮助。当然,你应该感到安慰的是,当你渐渐长大,获得了真正的独立,你的观念会发生变化,而且,你与家庭的冲突也会减少,关系变得更加和谐。随着你自己独立的范围不断扩大,你会用越来越多的办法,在你的生活中给你的家庭留出一部分空间。

"同学,咱们聊一聊"丛书

- 同学,咱们聊一聊钱
- 同学,咱们聊一聊抽烟
- 同学,咱们聊一聊家庭
- 同学,咱们聊一聊死亡
- 同学,咱们聊一聊父母
- 同学,咱们聊一聊虐待
- 同学,咱们聊一聊中学生活
- 同学,咱们聊一聊学习障碍
- 同学,咱们聊一聊心理障碍
- 同学,咱们聊一聊青少年赌博

(北京)青少年法律与心理咨询热线:12355